어제의 공자가 오늘의 내게 말을 걸 때

매일매일 실천하는 논어 쉽게 읽기 167선

박찬근

성명: 박찬근(朴贊謹)

아호: 단산(檀山)

학력: 정산중-공주고(55회)_공주사대 중국어교육과 졸업, -한문교육 석사

1989년 11.1일부터 현재까지 고등학교 한문교사로 재직

1991.07.05.일부터 단산학당 운영

인터넷 사이트 : 단산학당 http://dansan.net

유튜브 : 한문아카데미

유튜브 채널에 논어완강 등재, 대학. 중용 완강 및 한문해석법 및 시경 주역, 한시를 등재

안녕하세요, 저는 한문 교육을 위해 40여년간 노력해 온 박찬근입니다.

1962년 충남 청양에서 태어나, 정산중학교를 졸업하고, 공주고등학교를 졸업한 후, 공주대학교에서 중국어교육을 전공하고, 한문교육으로 전공을 바꿔 석사 학위를 취득했습니다. 이후 중고등학교에서 한문 교사로 재직하면서, 한문의 가치와 중요성을 널리 알리기 위해 노력해 왔습니다.

1985년부터 지금까지 한결같은 마음으로 성현의 가르침을 몸소 깨우치면서, 나만 알고 실천하는 데 그치지 않고, 너와 함께 글을 읽고, 우리 모두의 지각을 깨우는 울림의 시간을 이끌어가고 있습니다. 지금까지 '단산학당'이라는 사이버 공간에서 30여만 명의 방문 및 참여로 사서삼경 강의를 진행해 왔습니다.

아날로그와 디지털의 경계에서 사서삼경은 결코 만만치 않은 큰 산입니다. 더더욱 한자를 멀리하고 어렵게 여기는 젊은 사람들에게는 넘을 수 없는 벽으로 다가가고 있습니다. 그러나 한자가 문제가 아니라 그 속에 담겨 있는 내용물, 즉 지혜를 밝힐 수 있는 깊은 가르침이 중요합니다.

이러한 가르침을 오늘날 살아가는 사람들과 나눔을 실천하는 모습으로, mp3 시대의 산물인 '단산학당'에 올려진 강의는 깊은 울림을 주는 감동을 짧은 글로 표현한 깨달음의 지침서로 자리매김했습니다. 1차적으로 '고서(古書), 나를 울리다'를 출간했고, mp4 시대로 접어들어 유튜브의 세상으로 변모함에 있어 '한문아카데미'에 2천600여 개의 강의를 올려 지속적으로 시대의 연결을 시도하고 있습니다.

어제의 공자가
오늘의 내게
말을 걸 때

논어

매일매일 실천하는 논어 쉽게 읽기 167선

글을 쓰는 것은 참으로 즐거운 일이다. 과거 성현들의 생각을 오로지 읽을 수 있는 눈을 가진 경험은 매우 귀중하고 소중하다. 모든 사람과 만나면서 배울 점이 있다고 생각하면, 이것은 내가 어디에서나 스승이 될 수 있는 일이다.

요즘에는 핸드폰이 모든 사람의 손에 들려있어, 심지어 엘리베이터 안에서도 인사도 잊고 핸드폰을 보는 경우가 많다. 그래서 일마다 배울 점이 있다고 생각하면서 만나는 사람들과 대화하면, 세상 어디에 있어도 내가 스승이 될 수 있는 일이다.

하지만 세상은 점점 인간성이 말라가는 듯하여 안타깝기도 하고, 세상을 걱정하는 것조차 우매한 잘못이 아닐까. 이 시점에 자기가 가진 욕심과 욕망을 잠시 내려놓고 시대를 뛰어넘어 공자의 논어를 펼쳐 보면서, 자기 마음을 다스리는 시간을 가지려고 한다. 이것은 세상을 보는 시각과 사물을 보는 안목의 깊이와 넓이를 확장할 수 있고, 한문이라는 문명을 담은 그릇을 버리려는 현대인의 삶을 바로 잡는 방법이다.

그래서 저는 SNS에 논어 강의를 올려놓았습니다. 이것은 혼자서 기계적으로 강의하는 것이 아니라, 실제로 많은 사람과 논어의 원문을 펼쳐놓고 수업했던 내용이다. 지금 듣더라도 여전히 재미있는 내용이다.

이번에 정리한 글은 논어에서 추출한 내용으로, 나름의 생각을 간결하게 펼쳐 보이는 것이다. 논어 강의와 연결해 링크와 QR 코드를 달아 놓아, 언제 어디서나 마음이 끌리는 내용을 원문으로 읽을 수 있도록 배려했습니다.

지난번에 '고서, 나를 울리다'를 출간한 이후, 책을 어떻게 정리해야 할지에 대한 고민이 생겼습니다. 내가 읽은 논어의 내용을 쉽게 접근할 수 있으면서도 같은 느낌을 전달하는 글을 쓰고자 하는 생각이 들었습니다.

이번에 출간하는 책은 '술을 담아 용수를 박아서 마시는 맑은 술, 아니면 술지게미를 걸러 막걸리로 마시는 술처럼 걸러 읽는 논어'라고 생각하며, 논어에서 걸러내어 선별한 글들이다.

평소에 항상 가지고 있는 생각 중 하나가 있다. 그것은 '나너리'라는 말인데요. 이는 나의 길과 너와 함께 가는 길, 우리가 함께 가야 할 길이라는 의미이다. 이번 책에서는 나너리의 큰 틀을 지키면서 편집해내려고 한다.

'고서, 나를 울리다'를 출간할 때, 작가 소개에서 캘리를 그린 작가에 대한 언급을 넣지 못한 것이 아쉬웠습니다. 이번 책에도 몇 편의 캘리 작품이 포함되어 있다. 작가로 배정범 선생님이 현직으로 활동하고 계십니다. 또한, 이번에 삽화를 그려주신 山河 박현일 선생님은 정말 멋진 분이다. 저희 박현일 선생님이 그린 삽화 설명도 간단히 기록해보았습니다.

작품은 주전자와 찻잔을 통해 표현된다.

주전자는 하늘을 상징하며,
찻잔은 내 마음과 사람을 나타냅니다.
찻물의 양은 내 마음의 다양함을 의미하며,
찻잔의 색깔은 내 모습의 다양성으로 표현된다.
붉은색은 내 마음의 열정을 나타냅니다.
찻잔을 들고 있는 것은 세상을 대변한다.
"부어봐라. 하늘아! 내 마음과 몸이 깨끗하여 넘치고 부족한 게 있는지 확인해 보라!"
"내 명령이 이루어질 때까지 하늘이 지켜줄 것이라 믿습니다!"
작은 책 한 권도 많은 분의 도움과 정성으로 만들어진다는 것에 깊이 감사함을 느낍니다.

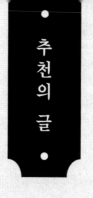
중심 잡아주는 불변의 진리를 현대적 방법으로 전하는 책

고등학교 한문교사인 박찬근 선생님은 여느 선생님과 다릅니다. 학교에서 교과서 내용만 가르치는 교사가 아니라, '단산학당'이라는 사이버 서당을 26년 동안 운영하며 우리 사회에 한자와 한문을 보급하고 경서 읽기를 생활화하기 위해 무척 많은 노력을 기울여온 열정적인 '스승'입니다. 유튜브채널에 2600개의 강의를 탑재한 점만으로도 그의 열정은 증명이 되고 남습니다. 강한 신념과 열정으로 이번에는 『어제의 공자가 오늘의 내게 말을 걸 때』라는 책을 출간했습니다. 독자가 책을 읽다가 궁금한 점이 있으면 바로 단산학당 홈페이지에 들어가 해당부분을 확인할 수 있도록 제목에 맞춰 원문에 하이퍼링크와 QR 코드를 끼워 넣었습니다. 독자를 깊이 배려한 편집이 돋보이는 책입니다. 공주대학교(전 공주사범대학)에 재직하던 시절에 나로 하여금 '교학상장(敎學相長)'의 기쁨을 느끼게 했던 제자 '박찬근'의 성실하고 근면한 모습을 그대로 반영한 책이라서 소중함이 더합니다.

20세기 전반까지만 해도 공자 이후 2700여년 이어진 역사 속 인류의 생활상에는 사실상 변화가 거의 없었습니다. 여전히 농경과 어로와 목축, 그리고 공업과 상업이 삶의 바탕이었기 때문입니다. 따라서 가치관에도 큰 변화가 없었습니다. 열심히 일하여 심은 대로 거두며 사는 게 바로 삶이었습니다. 그래서 조선시대는 물론, 근·현대에 유가경전을 가르치셨던 선생님들은 "옛 성인의 말씀은 한 글자 한 구절도 소홀이 다뤄서는 안 된다."는 점을 강조하며 논어에 나오는 말들을 철칙으로 여겼습니다. 그러나 20세기 후반이후, 디지털과 인공지능 중심의 제4차 산업혁명의 물결이 일면서 세상은 급변하였습니다. 20세기 전반 이전 5000~6000여 년 동안의 사회상 변화보다도 훨씬 큰 변화가 불과 50~70년 사이에 일어났습니다. 엄청난 변화 앞에서 인류의 가치관이 흔들리면서 정신적 혼란을 겪게 되었습니다. 시대 환경이 너무나도 다른 상황에서 옛 성현의 말씀을 한 글자 한 구절도 소홀함이 없이 실천하며 사는 것은 너무 답답한 일입니다. 그렇다고 해서 성인의 말씀을 소홀히 대하고서는 마음의 중심을 잡을 수 없어서 불안함이 가중됩니다. 이런 상황에서 박찬근 선생님은 잘 담아서 잘 익은 술을 용수를 박아 거르듯이 '걸러 읽기'라는 방법을 생각해 냈습니다. 옛 성현의 말씀 중에서 현대사회에 적용될 수 없는 제도나 법제 등에 관한 것은 걸러내고, 인간 본연의 마음에 파고들어 중심을 잡게 해주는 말씀만 가려내어 현대인들이 가장 이해하기 쉬운 언어로 풀이를 한 것입니다. 『어제의 공자가 오늘의 내게 말을 걸 때』, 이 책으로 인하여 사람들은 급변하는 4차 산업혁명 시대의 물질문명 앞에서 자칫 흔들릴 수 있는 마음의 중심을 다시 바로잡게 될 것입니다.

세상이 아무리 변해도 영원히 변할 수 없는 가치들이 있습니다. 수천 년 전의 원시 초민이나 현대인이나 여전히 함께 영위하고 있는 삶의 방식과 가치가 있습니다. 배고프면 먹고, 졸리면 자는 게 변할 수 없는 삶의 방식이고, 사랑하고 싶은 사람을 사랑하는 것이 영원히 변하지 않는 가치일 것입니다. 우리는 이제 그러한 불변의 방식과 가치를 볼 수 있는 눈을 떠야 합니다.
백범 김구 선생은 1945년 가을, 광복된 조국으로 돌아오는 비행기를 타기 전날 '불변응만변(不變應萬變)'이라는 휘호를 했습니다. '영원히 변하지 않는 가치로 만변 변하는 상황에 부응하자.'라는 뜻입니다. 당시 외세의 진입과 함께 좌익과 우익으로 나뉘어 동탕하는 대한민국의 모습을 보면서 영원히 변하지 않는 '민족'이라는 개념 하나로 동탕 속에서 만변하는 상황과 가치관의 혼란을 극복하자는 의미에서 이 구절을 휘호한 것이라고 생각합니다. 2023년 오늘도 광복을 맞던 그 시절 못지않게 변화가 심하여 사회가 동탕하고 있습니다. 가치관의 혼란과 전도 속에서 중심을 잡기가 쉽지 않습니다. 지금이야말로 내 마음의 중심을 잡을 수 있는 '말씀'이 필요한 때입니다.
『논어』에 실린 성현들의 말씀은 마음의 중심을 잡는데 큰 도움을 줄 것입니다. 특히, 이 시대에 맞도록 거르고 걸러서 딱 필요한 말씀만 골라 쉬운 현대적 언어로 풀이하고 비유와 설명을 곁들인 박찬근의 저술 『어제의 공자가 오늘의 내게 말을 걸 때』은 현대인들에게 안식과 함께 가치관의 혼란을 극복할 수 있는 지혜를 주고, 중심을 잡고 바르게 설 수 있는 힘을 줄 것입니다. 박찬근의 『어제의 공자가 오늘의 내게 말을 걸 때』은 말다운 말이 참으로 궁핍한 이 시대에 참된 성현의 말씀을 가장 쉬운 방법으로 곡진하게 전달해 줄 것입니다. 이 책으로 인하여 우리 국민들 모두 가치관의 혼란으로부터 벗어나 마음의 평화를 찾고 중심을 바로 잡을 수 있기를 희망합니다.

2023년 9월 8일
학재(鶴齋) 일우(一隅)에서 전북대 명예교수 김병기 識

맛있는 지식의 밥상으로 초대하는
선생님께 축하드립니다.

《논어》의 핵심인 인, 의, 예, 지, 신,
이 천하를 지배하는 덕목들.
유교의 근본을 담은 책,
논어(論語)여 너는 지혜(智慧)의 보고이다.

공자님의 가르침 속에
삶의 지혜가 숨쉬고 있다.
소인과 군자를 구분하는 것,
가정과 정치를 이롭게 하는 것.
인간관계와 도덕적 선택을 가르침,
논어(論語)여 너는 삶의 길잡이이며
인생의 철학을 가져다 주는 선물이다.

봉황과 비둘기가 날개짓하며
많은 사람들은 논어를 읽어야 하기에
이 혼돈사회에서 더 없이 소중하게 다가오는 귀한 보배다.
시대를 초월한 지혜와 가르침,
오늘도 우리에게 풍요롭게 전해진다.
우리 속에 존재하는 공자님의 논어(論語)여,
너는 영원한 선물이다.

그 안에서 찾아가며 배우고 생각하며,
인류는 계속해서 발전한다.
덕으로 인간성을 건강하게 하며,
지혜로 세상을 밝게 비춘다.
이 소중한 가르침으로 우리는 함께,
논어(論語)여, 너는 우리 인류의 보물(寶物)이다.

공주문화관광재단 이사 석용현 관광학박사

차 례

내가 가야 할 길

1일. 기쁨에도 차원이 있다

겉으로 외부에서 찾아와 나를 기쁘게 하는 것이 있고, 또 하나는 내면에서 멈출 수 없는 기쁨이 밖으로 흘러넘치는 기쁨이다. 공부의 핵심은 바로 글로 써서 전해 준 이치를 마음으로 알아차리는 것이다. 세상에서 '배움'을 강조하신 분들이 많기도 하지만 공자만큼 배움을 강조하고 자주 말씀하신 경우는 드물다. 눈으로 들어오는 멋진 풍광, 귀로 들리는 아름다운 소리, 코로 솔솔 스며드는 좋은 냄새, 혀끝에 다가오는 맛있는 음식, 온몸으로 스쳐오는 부드러운 촉감, 이 모든 것이 나에게 주는 기쁨을 준다. 이를 樂(낙)이라 하고, 마음속에서 이치를 깨달을 때 자연스레 탄성을 지른다. '아!' 이 소리가 나지 않는 것은 깨달았다고 하지만 아직 깨닫지 못한 상태가 된다. 그렇게 깨달은 이치는 시간과 공간에 따라 언제든지 써먹을 수 있으니, 이를 활용, 적용, 응용이라 한다. 얼마나 기쁜 일이 아니겠는가. 배움의 최종 목적지는 써먹는 데 있다. 배우고 써먹지 못하는 것은 죽은 지식이요, 무용지물이다. 써먹기 위해서는 반드시 그 이치를 깨달아야 한다. 깨닫는 순간 자기도 모르게 외치는 소리가 바로 '불역열호(不亦說乎)'라 하니 얼마나 소중한 가르침인가.

불역열호
不亦說乎

學而時習之, 不亦說乎. 학이시습지면, 불역열호아.
有朋自遠方來, 不亦樂乎. 유붕이 자원방래면, 불역락호아.
人不知而不慍, 不亦君子乎. 인부지이불온이면, 불역군자호아.

"배우고 배운 것을 때때로 익혀, 그 이치를 터득한다면 기쁘지 않겠는가. 내 마음과 통하는 벗이 멀리서 찾아온다면 즐겁지 않겠는가! 남들이 알아주지 않아도 서운히 여기지 않으면 참된 군자가 아닐까."

2일. 근본(根本)에 힘써라

정원에 서 있는 나무를 보라.

굵은 줄기에 잔가지, 그 끝에 매달린 나뭇잎, 아래로 눈을 돌려보니, 땅속으로 파고 들어 간 뿌리가 있다. 삽을 가지고 땅을 파 보니 감히 끝까지 파 볼 엄두가 나지 않는 다. 깊기 때문이다. 깊게 파고들어 간 뿌리만큼 줄기도 튼튼하고 가지도 많으며 잎 도 무성하고 꽃도 많이 피어 많은 열매가 달린다.

똑똑 떨어지는 물방울이 작은 술잔에 가득 차 넘쳐흘러 도랑이 되고, 냇물, 강물이 되어 넘실대는 바다로 흘러간다. 또 모든 일에는 시작과 끝이 있듯, 우리 삶도 근본 이 있고 과정이 있어야 결과가 있다. 뿌리가 튼실할수록 줄기가 굵어지듯, 인간 삶의 기본에 충실하여 근본을 세우면 흔들림 없이 살아갈 수 있고, 알찬 인생, 멋진 삶의 주인이 된다.

뿌리가 말라가는 나무, 수원(水源)이 고갈(枯渴)되는 샘, 근본(根本)을 세우지 못한 못 한 사람 얼마나 많은가.

가르치고 배우는 사람은 반드시 선후(先後)와 본말(本末)을 구분하는 것이 중요하 다. 근본을 먼저 챙겨야지 지엽(枝葉)에 매달려 방향을 잃고 제자리 맴도는 삶을 그 누가 바라겠는가.

이런 상황에서 벗어나고 싶으면 근본이 무엇인지 깊이 살펴야 한다.

아!

어리석음이란 다른 데 있는 것이 아니라 자신의 본분을 알지 못하고, 지엽적인 것에 온 신경을 써가며 시간과 정신을 빼앗기는 삶이 아니겠는가.

君子務本, 本立而道生.
군자는 무본이니, 본립이도생이라.

공자는 군자가 되기 위해서는 근본에 힘을 써야 한다고 말했다. 근본을 확립하면 나머지 모든 것이 자연스럽게 해결된다는 것이다.

3일. 내 삶을 돌아보자

성인(聖人)은 자신을 돌아보지 않고도 하늘 이치(理致)를 그대로 실천하시어
모든 사람이 그분의 말씀을 믿고 따를 수 있는 분이다.
반면에 우리의 삶은 이치를 말로 떠벌리며 되뇌지만, 그대로 실천하지 못하고,
처음 먹은 마음이 흔들림 없이 끝까지 가지 못하여 마음속에 늘 부족함을 갖는다. 이
런 입장에서 자신을 돌아보는 것은 아주 소중한 일이다.
공자의 수제자(首弟子)로 불리는 증자의 말씀이다.

남을 위해 어떤 일을 할 때, 최선을 다하였는가.
남에게 믿음을 주었고, 또 남을 믿었는가.
그날 배운 것을 터득하기 위하여 학습에 게으름은 없었는가.

성(省)이란 '자기 말과 행실을 살핀다'라는 말이다.
하루가 지나면, 하루를 어떻게 살았는지 살펴보고, 한 달이 지나면 한 달 살이를 돌
아보며, 많은 시간이 지나고 나면 그 시간 동안의 삶을 돌아보는 것을 말한다.
자신이 처한 상황에서 능력을 발휘하여 최선을 다하는 것이 충(忠)이다. 과거엔 상명
하복(上命下服)으로 위 사람 명령을 무조건 따르는 것을 충이라 하여, 충성(忠誠)은
꼭 군에 가 있는 사람이 할 수 있는 것으로 착각했다. 하지만 '언제 어디서나 자신의
속 마음과 능력을 숨김없이 최선을 다하는 것'으로 정의하면, 누구나 어디서나 충성을
할 수 있다. 진실로 채워진 것을 신(信)이라 하니, 자기가 한 말을 진실로 실천하는 것

이 신(信)이 된다. 학(學)이란 선생님께 이치를 배우는 과정을 말하고, 습(習)이란 그 이치를 깨닫기 위한 노력이다.

시간과 공간의 변화에 맞춰 최선을 다하는 모습과 주변 사람들과의 관계에서 믿음과 믿음을 주는 행동, 배움의 자세를 충분히 볼 수 있다. 자신을 돌아보면서 부족하고 잘못된 부분이 있으면 채우고 고치려는 마음, 지극(至極) 정성(精誠)이라 할 수 있다. 밖으로 드러내거나 밖에서 자신을 평가하는 말에 휘둘리지 않고, 스스로 미진하고 부족한 점을 찾아 노력하려는 삼성(三省)의 가르침은 실로 위대하다.

三省吾身

吾日三省吾身, 爲人謀而不忠乎.
與朋友交而不信乎. 傳不習乎.
오일삼성오신하노니, 위인모이불충호아.
여붕우교이불신호아. 전불습호아.

날마다 세 가지 사항으로 나 자신을 반성해 보아야 한다고 한다.

남을 위해 좋은 일을 할 때, 최선을 다하지 못했는가.
친구와 교분을 맺을 때, 성실히 임했는가.
선생님으로부터 배운 것을 복습하지 못한 점은 없는가.

三省吾身

4일. 신중함으로 믿음을 쌓아라

가르침과 배움의 실체는 냄새도 색깔도 형체도 없는 이치(理致)다.
사람의 이치를 윤리(倫理), 도리(道理)라 한다. 사람다운 사람이 우선이요, 알량한 지식으로 남에게 드러내려는 것이 그 다음이다. 이치를 배우고 깨달아 실천하는 것이 모두가 바라는 진정한 학문(學問)이니, 그 조목은 부모님께 효(孝), 연장자에게 공경(恭敬)을, 진실한 말과, 변함없는 행동으로 양심에 떳떳하며 남에게 믿음직한 사람이 되자는 것을 말한다.

그 후 자기 내면(內面)과 외면(外面)이 잘 어울리도록 글을 배우고, 음악을 배우며, 여러 가지 기예(技藝)를 배워나가는 것이니, 이보다 멋진 공부가 또 있겠는가. 실천만을 중하게 여겨 글을 읽지 않으면, 성현의 가르침을 알지 못하며, 당연한 이치를 알아차리지 못한다. 먼저 사람다움을 배우고 나서 글을 배우는 것이니, 선후를 살펴보는 것이 중요한 과제다.

늘 이런 마음 가짐으로 학문을 해 나아갈 수 있다면, 훌륭한 삶이 아닐까.

근이신
謹而信

弟子, 入則孝 (제자 입즉효)하고
出則悌, 謹而信 (출즉제)하며, (근이신)하며
汎愛衆, 而親仁 (범애중)호대 (이친인)이니
行有餘力, 則以學文.(행유여력)이어든 (즉이학문)이니라

"제자들이여! 집에 들어서면 부모님께 효성을 다하고, 나아 다닐 때는 어른들께 공손해야 하며, 행동에 주의를 기울이고, 말은 신뢰할 수 있도록, 다양한 사람들을 사랑하되, 이왕이면 배울점이 있고, 훌륭한 사람을 특별히 사랑해야 한다. 이러한 가치를 실천한 후에 문학 공부를 해야 한다."

5일. 중후(重厚)한 몸짓에서 위엄(威嚴)이 선다

칠전팔기(七顚八起)의 상징물인 오뚝이는 참 재미있는 장난감이다. 그 원리는 중심 추를 심어 놓았기 때문에 아무리 넘어뜨려도 넘어지지 않고 본래의 위치로 돌아오는 것이다. 어찌 오뚝이만 그렇겠는가. 사람도 마찬가지로 자신의 마음속에 중심을 두고 살면, 외부의 어떤 충격이라도 흔들림을 감내할 수 있다. 어떻게 생각하면 공부를 하는 것은 자기 삶의 중심을 잡아가는 노력이라 할 수 있다. 세상은 언제나 유혹의 손길로 흔들어대고, 무수히 많은 사연이 나를 괴롭힌다. 내 마음속 깊이 중심 추를 마음속에 심어두지 못하면 조그만 시련에도 휘둘리고 흔들리며, 말에 신빙성이 없어 가볍고 깊이가 없는 모습이 된다.

부중불위
不重不威

君子不重, 則不威, 學則不固.
군자부중즉, 불위니, 학즉불고니라.

"군자가 기반이 중후하지 못하면 위엄이 없고, 배워 얻는 것들도 견고하지 못하다."

6일. 잘못을 알았으면 즉시 고쳐라

누구나 싫어하는 것이 있다. 그중에서도 자기 잘못을 알아차렸음에도 그 잘못을 바로 고치지 못하고 차일피일 미루기 쉽다. 사람의 본바탕엔 진실 중 진실인 충으로 바탕을 삼고, 이를 토대로 신의를 다지는 것이다. 자기의 잘 잘못을 정확히 짚어주고 지적해 주는 사람이 바로 친구다. 다양한 친구를 만날 수 있지만, 이왕이면 내 잘못을 짚어줄 사람이 필요한 것이요, 사람마다 장단점이 있게 마련이다. 내가 보고 배울 점이 있는 사람을 친구로 사귀는 것이 좋다. 진정한 친구라면 나의 잘못을 방관하지 않을 것이요, 그 친구의 충고를 바로 받아들여 내 잘못을 고쳐 나아갈 때 친구와의 교분이 지속해서 이어지는 것이다. 이런 의미에서 자기 잘못을 고치는 것을 꺼리지 말라는 의미는 크게 와 닿는다.

물탄개과
勿憚改過

主忠信. 無友不如己者. 過則勿憚改.
주충신하며, 무불여기자요, 과즉물탄개니라.

최선을 다하려는 마음과 믿음으로 중심으로 삼고, 자기가 배울 점이 많지 않은 사람과 사귐을 삼가며, 잘못이 있을 때는 즉시 고치도록 하라.

7일. 할 일은 민첩하게
성과를 말할 땐 신중하게 하라

배움은 즐거운 일이다. 깨달음이 뒷받침될 때 배움은 한없이 즐겁고 행복한 일이다. 누군들 밥을 먹지 않고, 술과 고기를 싫어하는 이 있으랴마는 안락을 추구하는 삶은 고뇌에 찬 삶을 알 수 없다. 자신이 해야 할 일을 뒤로 미뤄두는 것은 어리석은 일이다. 반드시 자신이 해야 할 일이기 때문에 숙제로 남게 되고, 그 숙제는 또 다른 일을 하는 데 방해가 되기 때문이다. 말이란 상대방이 있고, 꼭 해야 할 때와 장소가 있다. 특히 남이 싫어하는 말을 줄이는 것이 관건이다. 그중에서도 남을 헐뜯는 말, 자기를 추켜세워 자랑하는 말은 누구나 싫어하는 말이니, 신중히 처리할 일이다.

민사신언
敏事愼言

君子食無求飽, 居無求安, 敏於事而愼於言, 就有道而正焉,
可謂好學也已.
군자는 식무구포하며, 거무구안하며, 민어사이신어언이오, 취유도이정언이면,
가위호학야이니라.

군자란 도를 추구하는 선비로서, 먹을 때 탐욕스럽게 배부르기를 구하지 않으며, 일
상에서 안일에 빠지지 않고 자신이 할 일에는 민첩하게 처리하며, 말할 때는 조심스
럽고 어눌한 억양으로 발설하여 조심스러움을 보여주며, 배움이 있는 사람과 연결하
여 행동의 옳고 그름을 바로잡는다면 배우기 좋아한다고 하겠다.

8일. 천명(天命)을 알아차리는 나이

사람이 나이를 먹는다는 것은 무슨 의미일까.

논어를 펼쳐 보면 공자의 이런 말씀이 그 해답을 찾는 계기가 된다.

15살에 학문의 뜻을 두고, 30살이 되면 자신이 서야 할 자리에 방향을 정확히 설정하여 우뚝 설 수 있게 되고, 그로부터 10년이 지나 40이 되면, 세상살이 수많은 시련과 유혹들이 내 귓가에 스쳐와도 조금도 흔들림이 없는 불혹의 나이가 되고, 50이 되면 하늘이 나에게 준 소명을 깊이 깨달아 내가 해야 할 일을 정확히 찾아서 하게 되는 나이 지천명의 세계가 된다.

그로부터 또다시 10여 년이 흐른 60이 되면, 이런저런 사건과 사연들을 이해하는 나이가 되어 그 어떠한 말이라도 뒷전에 들리는 것들을 이해하고 다 그러려니 생각하는 나이인 이순이 된다.

어쩜 인생의 황금기, 인생의 정점이라고 하는 하늘 닮은 나이 70이 되면 하늘의 이치를 그대로 실천할 수 있는 원숙한 단계에 이른다.

나이를 먹는다는 것은 하늘 닮은 삶을 누리고, 하늘 닮은 삶이 찾아온다는 것은 아닐까.

그렇다고 하여 70이 될 때까지 기다리고 있단 말인가. 나에게 주어진 지금이라는 시간, 여기라는 이 공간이 나의 행복한 공간이고 내 삶의 전부라고 생각하면, 잠시라도 소홀히 그냥 흘려버릴 수는 없다.

지구별에 사람으로 태어나서 단 100년 사는 것을 10년 단위 큰 토막으로 나누어 보면, 오늘 내가 할 일이 무엇이고, 어디를 향해서 가고 있는지 깊이 생각할 일이다.

나이를 먹는다는 것은 하늘의 이치를 깨닫고 따라가는 과정입니다

吾十有五而志于學, 三十而立, 四十而不惑, 五十而知天命,
六十而耳順, 七十而從心所欲 不踰矩.
오 십유오이지우학하고, 삼십이입하고, 사십이불혹하고, 오십이지천명하고,
육십이이순하고, 칠십이종심소욕하야 불유구호라.

15세에는 학문에 열정을 가지고 시작하였으며, 30세에는 독립적으로 자립할 수 있었고, 40세에는 사리에 대한 의혹이 없었습니다. 또한, 50세에는 천명의 깊은 의미를 이해할 수 있었으며, 60세에는 마음이 넓어져 어떤 말이든 화를 내지 않고 이해할 수 있게 되었습니다. 그리고 70세에는 마음먹은 대로 행동하더라도 크게 법도에서 벗어나지 않는 것이다.

9일. 그림을 그리려면 흰 바탕이 먼저 갖추어져야

동양화를 그릴 때, 옆에서 자세히 살펴보면, 하얀 종이 위에 채색한다. 물론 서양화는 이와 반대로 채색을 한 뒤에 적절한 표현을 하는 것이다. 사람도 마찬가지로 본성을 토대로 여러 가지 학문과 꾸밈으로 자신을 아름답게 하는 것이다. 예의를 지키는 것도 본바탕이 먼저 갖춰진 뒤라야 그 예의가 실행되는 것이다.

공자의 제자들은 툭 던진 한마디의 질문에도 그 물음에 맞는 답변으로 이끌어주시는 공자의 가르침 있다. 얼마나 좋을까.

또 한마디로 그에 맞는 답을 해 줄 때, 척척 알아듣는 제자가 있다면, 스승의 입장에서 얼마나 뿌듯할까? 인간의 본성을 노래한 시경의 뜻을 말하는 자리에서 그림 그리는 것으로 반증하니, 시경의 의미를 선뜻 알아차리는 스승과 제자의 대화 장면은, 교육자의 길에서 어떻게 가르치고 어떻게 답변을 유도해야 하는지 많은 것을 생각하게 한다.

회사후소
繪事後素

繪事後素
회사후소니라.

화려하게 꾸밈이 중요하지만, 그림은 본바탕이 우선이다.

10일. 슬픔을 머금고!

인간의 감정 중 가장 큰 것을 들라 하면, 즐거움과 슬픔이다. 즐거움의 끝엔 슬픔이 기다리고, 슬픔의 끝엔 즐거움이 기다린다. 세상의 흐름도 인간의 감정도 흐름이 존재한다. 모든 그릇에 물을 담으면 담기는 동안엔 뿌듯함과 기쁨이 있지만, 다 차고 나면 넘치게 마련이다. 즐거움의 넘침은 음란(淫亂)함이다. 슬픔의 넘침은 상처를 받는 것으로 마음의 상처는 치유하기 어렵다. 시경의 첫 번째 시가 바로 관저(關雎)편인데 이 시의 핵심 내용을 한 마디로 평가한 말씀이 바로 '즐거움에 넘치지 않고, 슬픔에 상처받지 않는다!'라고 하셨다.

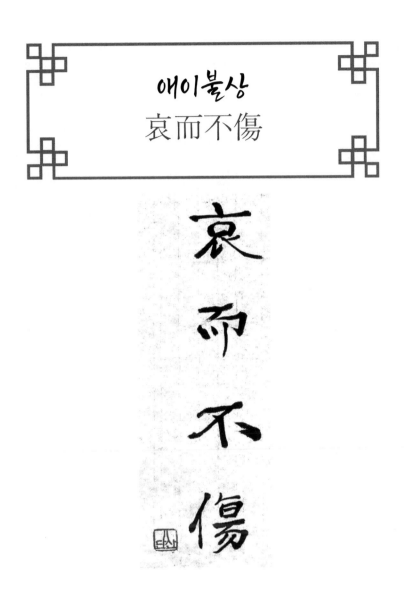

애이불상
哀而不傷

關雎, 樂而不淫, 哀而不傷.
관저는 낙이불음하고, 애이불상이니라.

시경의 첫 번째 시인 "관저(關雎)"는 즐거움을 만끽하되 음란에 빠지지 않았으며, 슬퍼함을 느끼되 마음속 상처를 받지 않았다는 것이다.

11일. 좋아할 수 있는 사람의 자격이 있다

'오직 사심(私心)이 없는 어진이라야 훌륭한 사람을 사랑할 수 있으며, 또 나쁜 사람을 미워할 수 있다'라는 말은 우리가 공평하고 정의로운 마음을 갖춘 사람이라야만 참으로 옳은 사람을 사랑하고, 그 반대의 경우에는 그 사람을 미워할 수 있다는 것이다. 인(仁)의 가치를 중요시하며 모든 생명을 존중하고 공평한 마음을 가진 사람이야말로 '사람다운 사람'이라는 것을 강조하는 말이다. 이러한 기준과 마음가짐이 없다면 옳고 그른 것을 판단할 자격이 없다는 것을 알 수 있다. 공자의 이러한 가르침은 오늘날에도 큰 가치가 있다.

唯仁者能好人, 能惡人.
유인자야 능호인하며, 능오인이니라.

오직 사심이 없는 어진 사람만이 훌륭한 사람을 사랑할 수 있으며, 또한 나쁜 사람을 미워할 수 있다는 것이다. 이는 공평하고 사심이 없는 사람의 특징이다.

12일. 남이 몰라준다고 걱정하랴!

사람의 눈엔 드러난 것은 볼 수 있지만, 그 드러나게 된 원인을 살피는 데는 어둡다. 높은 자리에 올라있는 사람을 부러워 말고, 어떤 노력을 얼마나 해야만 그 자리에 설수 있는지를 따져 보라. 남에게 인정받으면 좋고 인정받지 못하면 괴로우며 슬픈 것이 사실이다. 하지만 남이 나를 알아주지 못함을 원망하거나 싫어하지 말라. 그 대신 어떻게 하면 인정받을 수 있을지 먼저 생각해 보라. 남이 보이지 않고 자신이 크게 보이며, 남의 칭찬이나 인정에 허덕이지 말고 자기 내면을 채우는데 재미를 붙인다면, 나날이 발전하는 자신을 발견할 수 있다.

不患無位, 患所以立. 不患莫己知, 求爲可知也.
불환무위요, 환소이립하며, 불환막기지요, 구위가지야니라.

높은 지위가 없다는 것에 대해 걱정하지 말고, 어떻게 하면 그 자리에 오를 수 있는 지에 대해 노력해야 하며, 또한 세상에 자기 능력을 인정받지 못하는 것을 걱정하지 말고, 자신이 가진 실력과 역량을 채워나가며 알려질 기회를 꾸준히 만들도록 노력 해야 한다는 것이다. 이는 실질적인 능력과 역량을 키워 목표를 향해 노력하는 것이 중요하다는 것을 나타낸다.

13일. 말은 느려도 행동은 빠르게!

속에 들어있는 것은 밖으로 나오고 싶다고 하여 아무리 잘 감추고 지킨다 해도 쉬 드러나는 법이다. 누구나 말은 쉽지만, 내뱉은 말을 실천하기는 어렵다.

말에는 책임이 따르고 그 말이 실행되지 못할 땐, 여러 가지 비난과 비판을 받게 마련이다.

말을 더듬는 사람이 옆에 있다고 할 때, 그 말을 천천히 들어보면 꼭 해야 할 말과 하는 말의 무게를 느끼는 경우가 종종 있다. 만고불변(萬古不變)의 대원칙은 '하기 쉬운 것은 어렵게 여기고, 하기 어려운 것은 부지런히 하라'

여기에 쓰인 '눌(訥)자'는 '말 더듬을 눌'로 어눌(語訥)하다는 의미로 쓰이고, '민(敏)'자는 '빠를 민', '민첩할 민'으로 풀이하는 글자다.

글자대로 풀어보면 말은 더듬듯, 행동은 민첩하게 하라는 말이다. 자신이 입으로 뱉은 말은 본인은 쉽게 잊어버리지만, 그 말을 들은 사람들은 그 말이 실행되는 모습을 보고 싶어 하고 그 실천되는 정도에 따라 그 사람을 평가하는 법이다. 말을 잘하는 사람이 때론 훌륭해 보이지만, 실천이 뒤따를 때 진정으로 훌륭한 사람이 되지 않을까.

눌언민행
訥言敏行

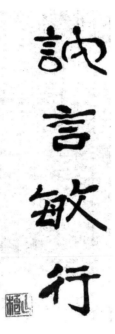

君子 欲訥於言而敏於行.
군자는 욕눌어언이민어행이니라.

말은 쉽게 하기가 쉬우니까 더디게 하려고 생각하고, 일은 힘을 써서 행하기 어려워서 빨리하려고 생각해야 한다는 것이다. 이는 말을 할 때는 신중하게 선택하고 행동할 때는 민첩하게 처리해야 한다는 의미다.

14일. 썩은 나무는 조각(彫刻)할 수 없다

건너편 아파트에 사람이 사는지 살지 않는지를 아는 방법은 밤에 불빛이 새어 나오는지 나오지 않는지를 살피면 된다. 그 사람의 마음이 열려 있고, 의식이 살아있는지 죽었는지는 그 사람의 눈빛을 보면 알 수 있다. 이런 의미에서 살아있다는 것은 '내가 지금 이곳에서 이 일을 하고 있다'라고 말할 수 있다. 생명력이 없는 사람은 그 시간 그 공간에서 살았다 할 수 없다. 나무를 보면 재질이 단단해야 조각을 할 수 있고, 흙도 생흙으로 생기가 있을 때, 쓸 수 있다. 세상엔 모든 것이 때가 있는 법, 공부할 때, 낮잠을 자거나, 들어야 할 때 말을 하거나, 웃어야 할 때 울고 있거나, 울어야 할 때 히죽히죽 웃고 있다면, 이는 분명 어딘가 문제가 있는 것이다. 썩은 나무로 조각할 수 없듯, 의식이 살아있는 사람이라야 세상의 주인이 될 수 있다.

朽木不可雕也, 糞土之牆不可朽也

후목은 불가조야며, 분토지장은 불가오야라

썩은 나무로 조각을 할 수 없고, 끈기없는 흙으로 담을 쌓을 수 없다.

15일. 화를 남에게 옮기지 말고,
잘못은 거듭하지 말라

우리가 공부한다고 하면, 영어 공부, 수학 공부, 그리고 내가 가르치고 있는 한문 공부를 말한다. 하지만 그 앞에 '인생'이라는 두 글자를 놓으면 달라진다.

인생 공부 중에 가장 어려운 공부는 과연 무엇일까.

처음에는 '이게 뭐 그리 어려운 일인가.'라 생각했었지만, 가만히 내 삶을 되돌아보니, 같은 잘못을 반복하고, 집에서 화나는 일이 있으면, 밖에 나와서 화풀이하고, 저 사람한테 서운했던 점을 이 사람한테 그 서운함을 토해 놓았다.

이것이 눈에 보이게 되자 '불천노 불이과(不遷怒 不貳過)'라는 것이 참 어려운 공부라 깨닫게 되었다.

내 화를 불러온 그 사람에 화풀이를 못 하고, 전혀 관계가 없는 다른 사람에게 화풀이하는 것은 분명 어리석은 일이다.

한 번 잘못은 용서받을 수 있다지만 같은 잘못으로 용서를 또 구해야 할 때는 혀가 틀어지고 말문이 막히게 마련이다.

오늘 이 공부가 나에게 평생토록 해야 할 공부라는 것을 깊이 돌아보는 시간이 된다면 참 좋겠다.

不遷怒, 不貳過
불천노하며, 불이과하라.

공자의 수제자 안 회는 '불천노(不遷怒)' 공부로 인해 화를 남에게 옮기지 않았고,
'불이과(不貳過)' 공부를 통해 같은 잘못을 저지르지 않아 지금까지 훌륭한 제자로
기억된다.

똑같은 잘못을 하지 않는 것이 참으로 어렵다 줄이자 줄여나가자

16일. 꾸밈과 본 바탕이 잘 어우러진 사람

꾸미면 아름답다는 말은 때론 맞기도, 때론 그렇지 못할 때도 있다.

글도, 그림도, 사람도, 본질에 근거를 두고, 알맞게 꾸며나갈 때, 더더욱 빛나게 마련이다.

비움과 채움, 겉모양이 화려한 그릇도, 채워진 내용물에 따라 그 가치가 달라지듯, 사람도 어떤 마음으로 채워져 있는지를 살펴보면 소중한 사람인지 아닌지 알 수 있다. 잡념으로 채워져 있다면, 멋진 그릇에 잡동사니로 가득 채워져 쓸데없는 것처럼, 사람도 마찬가지다.

논어에는 '충(忠)과 신(信)으로 채우라' 한다.

이는 거짓 없는 참된 마음으로 가득 채우라는 말이다.

우리 삶을 돌아보면, 손님과 주인이 있는데 손님은 늘 그곳에 살지 않고, 언제나 드나들게 마련이다.

충이 진실이라면, 거짓이 섞인 마음은 손님 마음에 불과해 들락날락하게 마련이다.

어떤 그릇이라도 다른 것이 들어 있을 땐 다른 것을 담고 싶어도 많이 담을 수 없듯, 참으로 채우고 나면 참되지 못한 것이 들어올 자리가 없다.

아름다움을 추구하는 것은 인간의 본분인지 모른다.

본질과 꾸밈을 잘 어울리도록 만드는 일, 그것이 바로 문질빈빈(文質彬彬)이 아닐까? 이런 의미에서 문질빈빈은 자기를 살피는 기준이요, 깊이 생각할 근원적인 문제가 된다.

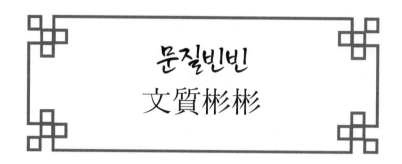

문질빈빈
文質彬彬

質勝文則野, 文勝質則史, 文質彬彬然後, 君子.
질승문즉야하고, 문승질즉사니, 문질이 빈빈연후에, 군자니라.

꾸미지 않는 것이 꾸밈을 능가하면 촌스럽고, 꾸밈이 본질을 능가하면 본 모습을 알
수 없으니, 꾸밈과 본질이 조화롭게 될 때, 진정한 군자가 될 수 있다.

17일. 술잔은 술잔다워야!

어느 날 그릇가게에 가 봤다. 어찌나 다양한 모양과 크기, 장식과 문양이 아름다운지, 어떤 그릇을 어디에 써야 할지 알 수 없었다. 예나 지금 그릇의 본질은 용도에 맞게 쓰일 때 진가를 발휘하는 것이다. 옛날 사냥한 짐승의 뿔로 술잔으로 썼으니 이를 '고(觚)'라고 하는데, 각이 진 멋진 뿔을 골라서 국가적인 의식에 술잔으로 써먹었다. 하지만 모양이 멋지다 해서 쓰는 것이 아니라 술잔으로 활용할 수 있으므로 썼다.

사람도 겉으로 보이는 모습이 멋지다고 하여 써먹는 것이 아니라 그 자리에 알맞은 능력을 갖춰야 그 임무를 맡길 수 있다. 높은 자리를 차지해 이름만 내거는 것이 아니라 실질적인 능력이 요구되기 때문이다.

겉모습이 그릇 같다고 하여 그릇이 아니라 실제로 그릇 역할을 할 때 그릇이 되는 것이다.

고재고재

觚哉觚哉

觚不觚, 觚哉! 觚哉!

고불고면, 고재, 고재아!

술잔이 술잔 노릇을 못한다면 술잔이겠는가.

(觚(고)란 모가 난 옛날 술잔의 이름.-명실상부(名實相符)를 강조한 말)

18일. 실수를 줄이는 법

아무리 작은 일도 쉽게 접근하면 반드시 어려움이 따른다. '어떻게 하지.' '어쩌면 좋지.'라는 마음을 가지고 천천히 살피며 자세히 뜯어본 뒤에 착수하는 것이 큰 실수를 줄이는 방법이다. 여러 가지 경우를 생각해 가장 좋은 방법을 찾아 처리하는 것이 성공의 지름길이다. 함부로 덤벼드는 사람은 실패를 눈앞에 둔 상황이라 할 수 있다. 더욱더 신중한 마음으로 일에 접근하고 가장 적절한 방법을 찾아 실천하라.

임사이구
臨事而懼

臨事而懼, 好謀而成.
임사이구하며, 호모이성하라.

크고 중요한 일에 임(臨)하여서는 극도(極度)로 조심하며,
지혜(智慧)를 발휘(發揮)하여 완성(完成)하라.

19일. 부귀(富貴)를 뜬구름처럼

하늘을 보라. 두둥실 떠 있는 저 아름다운 구름을 보라. 때론 갖고 싶지 않던가. 아무리 뛰어난 화가라 해도 저렇게 멋진 작품을 만들어 내지 못하니 욕심낼만하지 않던가.

갖고 싶다고 다 내 것이 되지 못하는 것을 '뜬구름 잡는다!'라고 하니, 나 자신의 떳떳한 노력에 따른 부귀(富貴)는 누릴 수 있고, 그 위치에서 역할을 할 수 있지만, 의리에 맞지 않고 떳떳하지 못한 재물과 지위는 하늘에 떠 있는 구름과 같아 잡으려 해도 잡을 수 없고, 가졌다 해도 맨손으로 움켜쥔 모래알처럼 온데간데없이 마음만 상처를 받는다.

할 수 있는 일은 차질 없이 해 놓고 주어지는 대로 즐기는 삶은 하늘에 떳떳하고 사람들에게 부끄럽지 않은 당당함이 뒤따라온다.

富貴如雲
부귀여운

飯疏食飲水, 曲肱而枕之,
樂亦在其中矣, 不義而富且貴, 於我如浮雲.
반소사음수하고, 곡굉이침지라도,
락역재기중의니, 불의이부차귀는, 어아에 여부운이니라.

'몹시 가난하여 보잘것없는 밥과 냉수 한 잔을 마시면서, 팔베개에 누워도, 즐거움은
그 가운데에 있다. 의롭지 못한 부귀는 나에게 있어서는 뜬구름과 같다!'

20일. 빈 그릇으로 가득한 체하지 말라

거짓, 허위, 위장을 버려라. 항상심(恒常心)은 진실(眞實)에서 우러나오는 법이다.
없으면 없다고 말하고, 있으면 있다고 말하라.
없으면서 있는 체하고, 있으면서 없는 체하는 것은 본바탕이 거꾸로 된 상황이니 오래가지 못하고, 안정될 수 없다.
비었으면 비었다고 말하고, 가득 찼을 땐 가득 찼다고 말하라.
'항상'이란 그대로 보고 말하는 데서 시작된다.

허이위영

虛而爲盈

亡而爲有, 虛而爲盈, 約而爲泰, 難乎有恒矣.

무이위유하며, 허이위영하며, 약이위태면, 난호유항의로다.

사람들아! 없으면서 있는 체하며, 비었으나 꽉 찬 것처럼, 보잘것없으나 거창한 체한
다면, 항상 변하지 않는 마음을 갖기 어렵다는 것을 생각해 보라.

21일. 책임은 무겁고 갈 길은 멀다

책임
무한의 책임.
길
끝없이 펼쳐진 길.

넓고 너그러운 마음이 아니면,
무한의 책임을 짊어질 수 없고,
강인한 정신력이 아니라면,
가던 길 도중에 하차하고 만다.

크고,
넓으며,
굳세고,
강인한 정신의 소유자여
이 세상의 주인이 되리라.

부유함을 지키는 길을 공부하고 있다.
누구나 바라는 것이 富요,
오래 유지하고 싶은 것도 富요,

자손만대(子孫萬代) 이어지기를 간절히 바라는 것도 바로 부(富)가 아닐까.

이룰 수 있고, 유지할 수 있으며, 이어가는 방법은 어디에 있을까.

강인한 정신력, 건장한 체력을 지니고, 사람을 대할 때 너그럽고,

겸손한 자세로 바른길을 벗어나지 않을 때, 우리의 소원이 이루어진다.

자신을 점검하라.

정신적으로 강건한 사람으로 친절한 사람인가, 겸손한 사람인가.

이 세 가지로 쉼 없이 노력하는 삶을 살아가고 있는가.

士不可以不弘毅, 任重而道遠. 仁以爲己任, 不亦重乎.
死而後已, 不亦遠乎.
사불가이불홍의니 임중이도원이니라. 인이위기임이니 불역중호아.
사이후이니 불역원호아.

'책임은 무겁고 갈 길은 멀다(임중도원(任重道遠))'라고 번역하지만, 그 속 내용은 평생을 두고 실천할 일이 바로 인(仁)이요, 그 인(仁)을 죽을 때까지 저버리지 못할 소중한 것으로 인식하니, 얼마나 멀고 험한 길이런가. 책임도 여러 가지가 있다. 어떤 것은 하루아침에 해결될 것도 있고, 어떤 것은 일주일에 해결될 것도 있으며, 어느 때는 자신이 혼자서 감당할 수 있는 것도 있고, 어느 때는 온 가족이 협력해야만

가능한 것도 있고, 어느 것은 온 국민이 해결해야 할 것도 있다. 아니 온 세상 모든 사람이 해결해야 할 그것이 바로 책임이다.

모든 생명체는 살려고 태어난 것이요, 삶의 출발이 곧 인(仁)의 움직임이니, 살 수 있도록 힘써 주는 것은 당연한 일이다. 죽어가는 것을 불쌍히 여기면서 사는 방법을 깨달아 만상 만물을 살리려는 노력, 이 어찌 숭고한 일이 아니겠는가.
그럼 난 이 시점에 무엇을 해야만 하는가?
육신은 살아있어도 의식이 죽어가는 세상에 의식을 일깨워주는 역할을 하는 것을 책임으로 삼는다. 이는 늘 행복하고 보람된 일이요, 소중한 일이다.
문제는 실제로 그 이치를 몸소 깨달았을 때, 실천력이 생기는 법, 이를 위해 매일 같이 깊이 생각하고 선현들의 깊은 뜻을 신중히 받아들이면서 세상을 돌아보는 일이다. 그 출발선은 바로 나 자신을 돌아보는 일이니, 어렵고 멀리 있지 않다. 오늘도 많은 사람을 만나고 대화하며 사물을 관찰하는 멋진 시간을 마련하는 날이 되고 싶다.

우리 젊은이들은 한없는 가능성과 도전정신이 충만하여 있다. 조그만 일에도 신경을 쓰는 사람도 적지 않지만, 그래도 크나큰 목표를 세우고 이를 향하여 열심히 노력하는 젊은이들이 얼마나 많은가. 세상 모든 사람을 사랑하는 마음이 안(仁) 이라 했으니, 그 범위가 얼마나 넓고 크단 말인가. 죽을 때까지 그 목표를 저버리지 않으니 얼마나 멀단 말인가. 사람은 저마다 자신의 책임감을 느끼는 날이 반드시 온다. 그것이 언제이든 얼마나 크던, 자신만이 이를 수행할 수 있는 법이다. 나 아닌 다른 사람이 이를 해결하지 못하며, 현시대 아닌 다른 세대에 해결되지 못할 것이 바로 오늘 내게 주어진 책임이다.

오늘날 책임감을 느끼지 못하는 사람이 참으로 많은 것 같다. 어쩌면 나도 그런 사람 중에 포함되어 있을지도 모른다. 인생의 목표를 달성하기 위하여 부단히 노력하는 삶의 자세로, 나 자신의 책임감을 느낄 때, 비로소 삶의 의미가 있을 것이다.

선비란 도량이 넓고 뜻이 굳세어야 한다. 그 이유는 책임은 무겁고 갈 길은 멀기 때문이다. 仁(인)을 실천하는 것으로 책임을 맡기 때문에, 그토록 무겁지 않은가! 죽은 뒤에야 그 책임에서 벗어날 수 있으니 멀지 않은가!

22일. 죽음을 두려워 않고 지키는 것

공자 말씀에 독실히 믿고 배우기 좋아하며, 목숨을 내걸고 양심을 지켜라. 위태로운 지방엔 들어가지 말고, 혼란한 지방엔 살지 말며, 도의(道義)가 있는 세상이 되면 나타나 벼슬하며, 그렇지 않을 땐 숨어서 자신의 도의(道義)를 지켜라. 정의로운 나라에 능력이 없어 가난하고 지위가 낮아서 할 일이 없다면 부끄러운 일이요, 타락한 나라에서 지조 없이 부유하며 높은 자리에 있는 것이 부끄러운 일이다.

독실히 믿는다는 것은 스스로 옳은 것을 보고, 믿기를 굳게 하여 고치거나 바꾸지 않는 것이요, 배우기 좋아한다는 것은 사물의 이치를 연구하여 옳고 그름을 살펴서 사이비(似而非)에 의혹(疑惑)되지 않음이요, 죽기로 지킨다고 함은, 자신이 옳다고 하는 것은 죽을 각오로 지켜서, 비록 재앙이 밀려오고 복이 된다는 말로 현혹한다고 해도 자기가 지켜온 뜻을 빼앗기지 않는 것이요, 위협한다고 하여도 빼앗기지 아니함이요, 착한 도(道)란 일이 반드시 이치(理致)에 부합(符合)되며, 행함이 의리(義理)에 합당(合當)하다는 의미다.

수사선도
守死善道

篤信好學, 守死善道. 危邦不入, 亂邦不居. 天下有道則見,
無道則隱. 邦有道, 貧且賤焉, 恥也, 邦無道, 富且貴焉, 恥也.
독신호학하며 수사선도니라. 위방불입하고, 난방불거하며, 천하 유도즉현하고,
무도즉은이니라. 방유도에 빈차천언이 치야며, 방무도에 부차귀언이 치야니라

23일. 따라잡지 못할 듯!

가을 운동회를 생각해 보자. 가장 많은 사람이 보고 응원하는 것은 단연코 계주(繼走)라서 학교에서 펼쳐지는 운동회에서 마지막 대회로 계주를 넣는 것이다. 이때 2등으로 달리고 있는 학생이 1등을 달리는 학생을 따라잡으려고 안간힘을 쓰면서 달리는 모습이 여불급(如不及)이라 생각한다. 앞에 가는 사람을 따라잡으려 애를 쓰고, 뒤처질까 염려되어 최선을 다하는 모습이 배움에 있어서도 똑같이 적용된다. 수많은 선현의 학문을 따라잡기 위해 두 눈을 부릅뜨고 매진해 가며 이미 배운 것을 잊어버리지 않으려 노력하다 보면, 학문의 진보를 가져올 것이요, 조금이라도 게으름을 피우면 다른 사람은 몰라봐도 자기가 먼저 꼭 알게 된다. 제 돌아가신 할아버지께서 늘 하시던 말씀 '한 자리는 보이지 않지만, 안 한 자리는 꼭 드러나게 된다.' 오늘도 이 말씀을 곱씹어 본다.

학여불급

學如不及

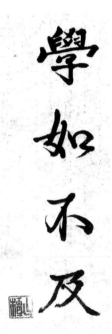

學如不及, 猶恐失之.

학여불급이요 유공실지니라.

배울 때는 따라잡지 못할 듯이 걱정하며 열심히 노력해야 하고, 오히려 그것을 터득한 후에는 잊어버릴까 두려워해야 한다.

24일. 고집 피우지 말라

의도(意圖)를 가지고 기필(期必)하지 마라!

한동안 내 서재(書齋) 창에 써서 붙여놓고 매일같이 점검해보던 공부 내용이다. 일반적으로 어떠한 일을 계획할 때 의도(意圖)를 가지고 그 목표를 달성하고 나면 어떤 결과를 가져올지 예측하여 진행한다.

공자는 '아예 마음에 담아두지 않고, 상황에 따라 말씀을 하시고, 행하여도 도리에 벗어나지 않는다' 했으니, 일반인의 경우, 미리 결과를 예측하여 실천하고, 성취한 것을 자랑하며 고집스레 지켜나아간다 해도 도리에 벗어나고 어긋나기 쉽상이다. 어떤 의도로 일을 시작하면, 반드시 그 결과를 예상하고, 작은 목표를 성취하면, 그것을 고집하여 모든 곳에 써먹으려 한다. 그러다 보면 시간과 공간, 즉 상황에 맞춰 따라가지 못하고 적용하지 못하여 실제로 활동할 수 없게 된다.

공자는 이 네 가지 사항이 본래 없었다.

'의도함, 기약함, 고집부림, 나를 내세움' 하지만 나 자신은 언제나 나를 드러내고 싶어라 하고, 조그만 일에도 반드시 뒤따라올 결과를 미리 챙기는 어리석음을 범하고 있으니, 이참에 이 가르침을 깊이 생각하여 하나라도 실천해보련다. 참 공부란 어렵다.

子 絶四, 毋意, 毋必, 毋固, 毋我.
자 절사러시니 무의 무필 무고 무아러시다.

공자는 사사로운 뜻으로 억측하지 않고, 꼭 이루겠다고 장담하는 일이나 쓸데없는 고집, 자신을 내세우는 것을 전혀 하지 않았다.

25일. 술은 적당히 마시라

술은 신(神)과 친구가 되는 중요한 도구다. 우리 생활에서 술이 없으면 남의 마음을 사기 쉽지 않다. 하물며 돌아가신 분과 교감을 맺고 싶으면 반드시 술을 따라 붓고 인사를 한다. 이것은 오랜 세월 인류문명과 함께 살아온 삶의 흔적이요, 연속이다. 흔히 교신지물(交神之物)이라 하여 신과 사귐의 디딤돌로 쓰여왔고, 알고 있으며, 실행되고 있다. 술은 얼어붙은 마음의 문지방을 조금씩 열어 놓은 역할을 하며, 딱딱하게 굳어가는 서로의 관계를 얼음이 녹듯, 눈이 녹듯 서서히 풀어주는 소중한 물건이다. 하지만 누구나 감당할 만큼의 짐을 짊어지는 것이니, 넘치면 흘러나가고 무거우면 일어서지 못하는 것이다. 술도 마찬가지, 자신이 감당할 만큼만 마시면 좋은 일이요, 지나치면 정신이 혼미해지고 말이 헛나오며 행동이 제멋대로 되어 수십 년 쌓아온 덕이 한순간 무너지게 마련이다. 시경 '억(抑)' 편에 '한 잔 술도 혼미해지거늘 어찌 저리 많이 마셔 흩어진단 말인가.'라는 구절이 있다. 사람에 따라 다르겠지만 적당히 마시는 것이 얼마나 어려운 일인가.

공자는 술을 마셨지만, 그 선을 넘지 않았다 하시니, 깊이 생각해 볼 일이다.

不爲酒困, 肉雖多, 不使勝食氣, 唯酒無量, 不及亂.
불위주곤하라. 육수다라도 불사승사기하며, 유주무량호대 불급란하라.

술을 이기지 못하는 사람이 되지 말아야 한다. 고기반찬이 아무리 많아도 밥보다 많이 먹지 말아야 하며, 술은 일정량을 정하지는 않더라도 혼란할 지경에 이르도록 마시지 않아야 한다.

26일. 한 삼태기 흙으로 미완성!

누구나 마음속에 품고 있다. 어제보다는 오늘이, 오늘보다는 내일이 더 좋은 날이 되기를 바라고 있다. 앞으로 더 좋은 일이 있으려면 그만큼의 노력이 요구된다. 노력 없는 결과는 없기 때문이다. 새로 땅을 마련하여 멋진 집을 만든다고 할 때, 나무를 심으면 나무가 심어지고, 바윗돌을 가져다 놓으면 바위가 자리를 잡고, 작은 연못을 파면 연못이 생긴다. 파다 말면 보기도 흉하고 쓸모없이 공간만 버리게 된다. 이처럼 아무것도 없던 땅에 자신이 뿌린 대로 놓은 대로 심은 대로 정원을 만들어지고 가꿔지는 것이다. 하물며 어떤 분야의 공부에 있어서야 더할 나위 없는 일이 아니겠는가. 공간에 채워나가는 것도, 마음속에 가득한 고민과 고통을 덜어내는 것도 남이 해주는 것이 아니라 반드시 자신이 해야 하는 일이요 숙제다.

발전하느냐 퇴보하느냐의 관건은 그 누구도 아닌 자신이 주체임을 자각할 때 작은 변화가 시작되고, 내일, 다음 날이 아닌 오늘 이 시간부터 자각해야 하는 소중한 가르침이다.

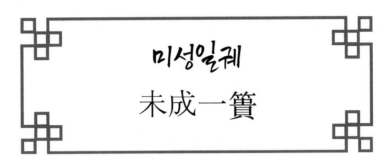

譬如爲山, 未成一簣, 止, 吾止也.

譬如平地, 雖覆一簣, 進, 吾往也.

비여위산에 미성일궤하야 지도 오지야며
비여평지에 수복일궤나 진도 오왕야니라.

학문을 이루고자 하는 사람을 비유하면, 산을 만들기 위해 마지막 한 삼태기의 흙을
붓지 않아 완성하지 못함은 자신이 그렇게 포기한 것이고, 평지에 한 삼태기의 흙을
부어 일보전진(一步前進)한 것은 자신이 진보한 것과 같다.

27일. 싹이 나야, 꽃이 피고, 열매가 열린다

사람의 목표는 거의 비슷하다. 성공하여 행복하게 사는 것이다. 행복은 거저 얻어지는 게 아니다. 자신이 목표를 세워 쉼 없이 한 단계 한 계단 오를 때 마침내 얻어지는 것이다. 자기 마음속엔 이런 목표를 두지만, 그 모습은 다양하다. 어떤 이는 한 걸음도 옮기지 못한 채, 자신의 꿈을 새로 찾는가 하면, 어떤 이는 몇 발짝 진행은 했지만, 아직도 그 꿈에 대한 믿음이 약해 망설이는 이도 있다. 이처럼 결실을 보기까지는 여러 단계와 목표에 대한 확신이 있고, 이를 뒷받침할 만큼의 노력이 뒤따라야 한다.

곡식의 씨앗을 땅에 뿌려도 싹이 나오지 않는 것도 있고, 싹은 났어도 꽃대도 올리지 못하는 것도 있으며, 꽃은 피었어도 결실을 보지 못하는 것이 있는 법, 사람 사는 것이나 생명체의 삶이나 비슷하다. 이를 학문에 비유한 공자의 말씀을 깊이 헤아려 봐야겠다.

묘수불실
苗秀不實

苗而不秀者, 有矣夫! 秀而不實者, 有矣夫!
묘이불수자 유의부며, 수이불실자 유의부인져!

곡식을 심어 싹은 나왔지만, 꽃을 피우지 못하는 예도 있고, 꽃은 피었으나 그 열매를 맺지 못하는 예도 있다. 이는 학문을 이룩함에 여러 단계가 있다는 의미로, 중도에 포기하지 말아야 한다.

28일. 백규(白圭) 편을 반복해 봐라!

시경(詩經)에 있는 내용으로 '흰 옥에 티는 갈아내면 사라지는데, 잘못 뱉은 말은 돌이킬 수 없구나!'라는 말로 공자가 극찬한 '말조심' 하는 사람의 모습이다. 한 번 뱉은 말은 주워 담기 어렵다. 흰 실에 검은 물이 들면 아무리 노력해도 본래의 흰 모습을 되찾을 수 없듯, 무심코 던진 한마디가 그 사람이 수십 년 닦아온 덕을 한순간에 무너뜨리는 결과를 빚어내니 얼마나 조심스러운 자리인가.

인류사에 '빨리'를 외치면서 계발하고 발전한 것이 참 많다. 빛의 속도로 발전하고 있는 것이 컴퓨터의 세상이요, 교통의 수단, 통신의 세상 등 다양하다. 예전에는 말(馬)이 중요 교통수단이었다. 그중에서 가장 빨리 달리는 말을 천리마라 했고, 수레로 이동할 땐 네 마리 말이 끄는 수레가 가장 빠르다 했다. 엎지른 물은 다시 주워 담을 수 없듯, 입으로 내 뱉은 한마디 말은 아무리 빠른 말로 따라잡으려 해도 따라잡지 못한다.

가장 하기 쉬운 것이 말이지만, 가장 무겁게 해야 하는 것도 말이다. 그만큼 말은 함부로 할 수 없는 중요한 일이다.

삼복백규
三復白圭

三復白圭 駟不及舌
삼복백규하라 사불급설이라.

아무리 빨리 달리는 말이라도 실언(失言)하는 그대의 혓바닥을 따라가지 못한다. 백옥의 티는 숫돌로 갈면 그 흠집이 없어지지만, 한 번 내 뱉은 말은 두번 다시 주워담을 수 없다는 말이 바로 '삼복백규'라는 말이다.

29일. 지나침과 모자람은 같은 것!

공자 말씀에 '중도(中道)에 미치지 못함은 중도(中道)를 지나침과 같다.'는 중용(中庸)의 도(道)에 관한 것이다. 이 말씀은 부족한 사람들을 이끌어서 중도에 이르도록 도와주고, 지나치게 나아가는 사람들은 절제하여 중도로 돌아오도록 권고하는 내용이다.

중용(中庸)은 공자의 학문적인 가르침 중 하나로, 균형과 조화를 중요시하는 가르침이다. 중도에 미치지 못하는 것은 균형을 잃고 과도한 행동에 빠지는 것을 의미한다. 공자는 인간이 과도한 것을 피하고 중도를 지향하며, 균형과 조화를 유지하여 삶을 살아가야 한다고 말했다.

이 말씀은 우리가 행동하는 데 있어서 절제와 균형을 유지하는 중요성을 강조한다. 너무 과도한 행동이나 지나치게 나아갈 때 오히려 문제를 일으킬 수 있으므로, 중도를 유지하고 균형을 잘 잡는 것이 필요하다는 가르침을 담고 있다.

난 가는 곳마다 책을 던져둔다.

처가 책장에 던져둔 논어!

얼마나 오랫동안 주인을 기다리고 있었을까.

또 책은

아무 페이지나 펼쳐 본다.

그래도 좋다.

오늘 펼쳐진 것은 과유불급(過猶不及)!

골프에서 뻔히 보이는 퍼팅도

까딱 잘못하면 벗어나고,

힘 조절을 잘못하면 또르르 굴러내리니,

맞춤은 쉽지 않다.

오늘도

지나침과 부족함의 경계에서

저울질하는 시간이 흐른다.

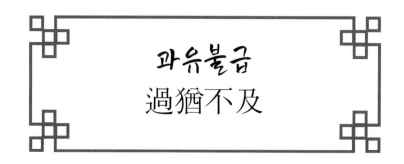

過猶不及.
과유불급이라

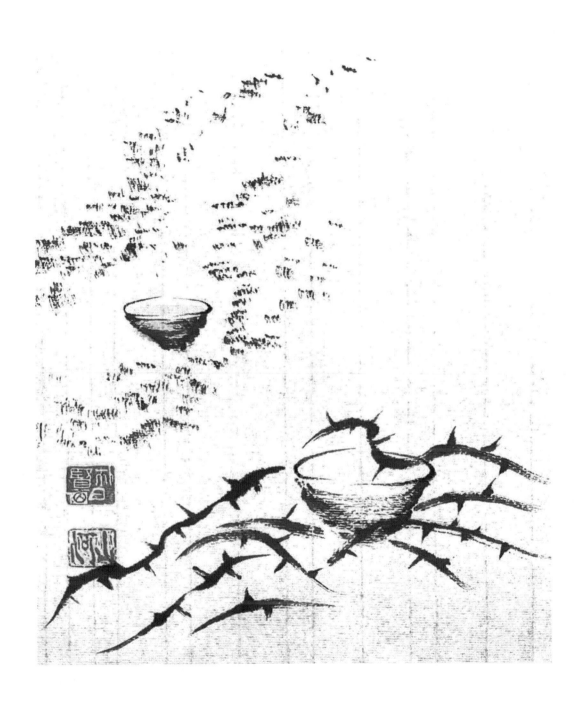

30일. 인(仁)의 실천은 자기로부터

사람의 겉모습은 다양하지만, 본래 태어날 때 타고난 본성(本性)은 모두 다 같다. 그것을 인(仁)이라 한다. 다만 그것이 있음을 알아차리지 못하고 함부로 행동하다 보면 습관이 되어 본성조차 없는 것처럼 말과 행실로 드러난다. 하지만 공자는 많은 제자에게 인간의 본성회복(本性回復)을 강조하셨고, 그 실천 덕목을 제시해 주셨다. 많은 사람은 성현이나 실천할 수 있는 일이지 자신을 할 수 없다고 말하며, 한 번 해 보려는 의지가 부족하다. 자신이 가지고 있는 것이 아무리 귀하다 해도 쓰지 않으면 무용지물이요, 가치가 없어진다. 인이란 자신을 사랑하고 가족을 사랑하며 모든 이를 사랑하고, 만물을 아끼는 큰 사랑이다. 이 소중한 사랑을 누가 실천하겠는가. 자기 자신 말고는 그 누구도 실천할 수 없다.

위인유기 爲仁由己

顏淵問仁. 克己復禮爲仁. 一日克己復禮, 天下歸仁焉.
爲仁由己, 而由人乎哉. 顏淵曰, 請問其目.
非禮勿視, 非禮勿聽, 非禮勿言, 非禮勿動.
顏淵曰, 回雖不敏, 請事斯語矣.

안연이 문인한대 극기복례 위인이니, 일일극기복례면, 천하 귀인언하나니,
위인이 유기니, 이유인호재아. 안연이 왈 청문기목하노이다.
비례물시하며, 비례물청하며, 비례물언하며, 비례물동이니라.
안연이 왈 회수불민이나 청사사어의로리이다.

안연이 인(仁)에 관해 물으면, 공자는 자신의 사욕을 극복하고 예의에 맞게 행동하는 것이 인(仁)을 실행하는 것이라고 말했다. 하루라도 극기복례를 실천할 수 있다면, 모든 사람이 인(仁)을 따르게 될 것이다. 인(仁)을 실천하는 것은 바로 자신의 역할이다. 남들이 하는 일에 의지하지 말아야 한다.

안연은 그 실천할 조목에 관해 물었고, 공자는 예가 아니면 보지도, 듣지도, 말하지도, 행동하지도 말라고 답변했다. 안연은 자기가 어리석은 사람일지라도 이 말씀을 따라 실천하겠다고 대답했다.

31일. 마음속 잘못도 없어라

마음을 채우는 것은 매우 중요한 과정이며, 어떤 것으로 채우느냐에 따라 외부로 나타나는 모습이 달라질 수 있다. 선한 마음으로 마음을 채우면 선한 행동이 나타나고, 악한 마음으로 마음을 채우면 악한 행동이 드러날 수 있다. 또한 욕심에 사로잡혀 마음을 가득 채우면 또 다른 욕심이 함께 드러날 수 있다.

군자로서 자신을 돌아보고 마음속을 돌이켜 볼 수 있는 사람은 속 깊고 사려 깊어야만 가능하다. 자기의 삶을 반성하고 부끄러움이 없다는 것은 참으로 속이 채워진 결과이다. 그러한 사람은 혼자 있어도 여럿과 함께 있는 듯하며, 아무도 모르는 일을 하면서도 많은 사람이 지켜보고 있는 듯한 정정당당한 마음을 가지고 있다. 이런 입장에서 볼 때, 내성불구(內省不疚)는 참으로 깊은 가르침이다.

이러한 가르침을 기억하며 더 깊은 생각을 하고, 지속적으로 자기 성찰을 해 나간다면 멋진 삶의 주인이 될 수 있다.

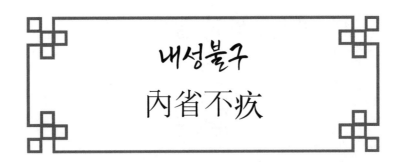

내성불구
內省不疚

內省不疚

내성불구

32일. 성실(誠實)하라

세상 살아가는 세 가지 축이 있다. 첫째는 자기 자신, 둘째는 남과의 관계, 셋째는 주어지는 일이다.

누구나 자신의 존재가치가 높을 때 살맛 나지 않겠는가. 눈만 뜨면 내 앞에 펼쳐지는 일이 있고, 그 일을 어떻게 해결하는가에 따라 그 가치가 평가되는 것이니 소중한 일이요, 피할 수 없는 일이다. 사람은 혼자서 살 수 없는 존재다. 여기서 공자가 제시하는 세 가지 핵심 사항이 나오게 된다. 자신의 마음이 안정되어 눈에 들어오는 물체, 귀에 들어오는 소리, 외적인 사물에 흔들림 없이 자신의 마음을 지켜가는 것이 바로 공(恭)이다. 이 마음이 없을 때 외적인 사물이나 소리 등에 흔들려 자신을 잃어버린다. 큰일이든 작은 일이든 자신이 해결해야 하고 그 실마리를 천천히 찾아봐야 한다. 대충 처리해서 될 일이 아니다. 꼼꼼하게 정확하게 처리하는 마음이 경(敬)이니, 일반적으로 흩어지지 않고 집중하는 마음을 말한다. 내 마음도 중심을 잡기 힘든데, 남의 마음을 읽고 함께 할 수 있는 것은 오직 솔직함이요, 거짓 없이 최선을 다하는 것이다. 이것이 충(忠)이다. 이 세 가지를 깊이 생각하는 삶은 언제나 당당하게 자신의 존재감을 드러내며 사람의 신뢰를 쌓을 수 있다.

居處恭, 執事敬, 與人忠.
거처공하고 집사경하며 여인충하라.

평소 말과 행동을 공손히 하며, 일을 잡으면 집중하며, 남을 대하여 속임이 없이 최선을 다하라. (仁을 실천하는 자세-공손. 경건. 성실)

33일. 자부심(自負心)을 품어라

흔히 듣는 말이지만, 문화(文化) 문물(文物) 문명(文明)의 문(文)이 각기 쓰임이 다르다. 그중에서 내가 생각하는 것은 문명이 가장 크고 소중한 것으로 생각한다. 공자님께서 자신의 임무가 바로 '문명을 밝히고 전달하는 데 있다'라고 자부(自負)하셨다.

가만히 생각해 보면, 세상 모든 사람의 존경을 받는 성인들은 반드시 그분들이 해야할 임무가 있었고, 그 임무를 수행하려다 보니 그만한 고통(苦痛)을 겪었다. 하늘이 크나큰 임무를 맡길 때 반드시 그에게 걸맞은 시련(試鍊)과 고통(苦痛)을 겪게 하여 그것을 이겨나갈 때 부족한 부분을 보충할 수 있도록 시험을 해본다는 것이다.

과연 나에게 주어진 시련(試鍊)은 무엇인가. 이 지구에서 해야 할 일은 무엇이고, 또 나를 따르고 있는 사람들에게 어떻게 어떤 방법으로 무엇을 해야 함을 일깨워 줄 수 있단 말인가. 슬기롭게 해결하려는 노력을 기울여 보자! 스스로 헤쳐 나갈 때 지혜가 길러지고 지혜가 드러나며 시련과 고통을 벗어날 수 있는 길은 저절로 드러나게 마련이다. '문부재자' 문명이 바로 이곳에 있지 않던가. 시사(示唆)하는 바가 큰 명구(名句)다.

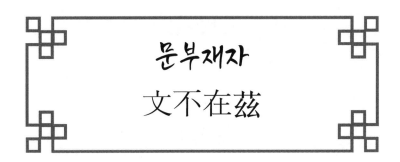

子畏於匡 曰：「文王旣沒，文不在玆乎？

자외어광 왈 문왕기몰 문부재자호

34일. 자랑하지 말라

누구나 남을 이기려는 마음이 있다. 그중에 유독 승부욕(勝負欲)이 강한 사람은 남에게 지면 분을 참지 못해 잠을 설치고 이를 갈면서 반드시 이기고야 말겠다고 다짐한다. 남을 이기는 날엔 입에 침을 흘리면서 자랑한다. 이기려는 맘과 자랑하려는 욕심을 가지고 있으니, 언제 어디를 가도 불편한 상황을 만들고, 남의 손가락질을 받는다. 공자의 제자인 원헌(原憲)이 자신에게는 이 네 가지를 주장함이 없었으니, 공자가 추구하는 인(仁)으로 볼 수 있냐는 질문에 인정할 수 없다고 대답했다.

도대체 인(仁)이란 무엇일까.

크게 보면 우주 전체를 살리려는 강인한 생명력이다. 살려는 의지를 지닌 모든 생명체를 살려주는 큰마음이다. 남에게 드러내기 전에 자신의 마음 자세가 우주의 큰마음으로 가득 차 있을 때 저절로 흘러나와 세상의 빛이 되고 힘이 되는 것이다. 남을 이기려는 마음, 남에게 자랑하려는 마음, 자기 욕심을 채우려는 마음을 넘어선 큰 사랑을 지녀야겠다.

극벌원욕
克伐怨欲

克´伐´怨´欲不行焉, 可以爲仁矣?
극벌원욕 불행언 가이위인의
子曰 : 「可以爲難矣, 仁則吾不知也°」
가이위난의 인즉오부지야

35일. 행실은 높게, 말은 공손히

언행(言行)은 그 사람의 전부요, 화복(禍福)의 근원이다. 다만 그가 살아가는 시간과 공간의 제약에 따라 다른 언행이 필요한 것이다. 자신이 하는 말과 행동이 세상에 통용될 때와 통용되지 못할 때가 있기 때문이다. 언론의 자유라 하지만 세상이 받아들이지 않는 말은 아무리 옳은 말이라도 공염불(空念佛)에 불과할 것이요, 하찮은 말이라도 세상을 바꾸는 큰 힘이 될 수 있기 때문이다.

특히 선비란 자신의 신념을 굳게 지켜나가는 사람이다. 자신이 생각할 때 언제나 옳다고 여기지만, 세상이 그 말을 받아들일 수 있기도 하고, 없기도 하기에 아무 때나 같은 말로 세상에 자기 생각을 드러낼 수 없다. 지조 곧은 사람일수록 때를 읽어내는 것이 필수조건이다. 받아들이지 못하는 세상에선 말조심이 자신을 지키는 지름길이다.

위행언손
危行言孫

邦無道, 危行言孫
방무도엔 위행언손하라.

선비의 행실은 항상 높게, 말은 받아들일 만하면 옳고 곧은 말을 하되, 그렇지 못할
땐 말조심하라.

36일. 가난해도 원망하지 말라

원망(怨望)이란 자기 마음에 부족함으로 불평불만이 차오른 상태다. 그 원인은 자신은 보지 못한 채 남을 본다는 것이다. 남의 것이 커 보이고 귀해 보이면서 자신의 초라함에 몸부림치는 것이다. 가난의 원인은 자신의 게으름과 무지(無智)에서 출발한다. 조금이라도 자신을 돌아볼 수 있으면 원망을 줄일 수 있다. 우리 눈은 항상 자신을 보지 못하고 남을 보게 만들어져 있으니 자신을 돌아보는 일이 결코 쉬운 일이 아니다.

반면, 교만(驕慢)은 가득 찬 사람의 몸부림이다. 부족함이 없으니 넉넉함도 있지만, 일반적으로 거만하고 의기양양한 모습으로 비치기 쉬운 일이다. 가득 채워진 그릇은 넘치기 마련이다. 마음 그릇에 가득 채워져 밖으로 줄줄 흘러넘칠 때, 세상 그 누구도 좋아할 리 없다. 하지만 자신의 부유함이 조상 대대로 내려왔다거나 남의 도움으로 이뤄진 것으로 생각하는 사람은 교만함을 떨쳐내고 공손할 수 있다. 쉽고 어려움의 문제는 자각(自覺)에 달려있기 때문이다.

빈이무원

貧而無怨

貧而無怨難, 富而無驕易.

빈이무원은 난하고 부이무교는 이하니라.

가난한 사람이 부자를 원망하지 않는 것은 참으로 어려운 일이다. 그러나 부자이면 서 자신이 교만을 부리지 않는 것은 비교적 쉬운 일이다.

37일. 나를 위한 참 공부

위기지학(爲己之學)이란 남에게 보이거나 남의 눈치나 억압에 의한 '하는 척'이 아니라 인간에게 주어진 본성 회복을 목표로 쉼 없이 매진하는 것이다.

그 속에 깊이 자리하고 있는 것은 사람으로 지켜야 할 도리(道理)요, 도리를 실천하여 마음속에 깊이 깨달아 쌓인 것이 바로 덕행(德行)이다.
위인지학(爲人之學: 남에게 보이기 위한 학문)을 하는 사람은 자기 마음속으로 이치를 터득(攄得)하고, 몸소 실천(實踐)하려는 데 힘을 쓰지 않고, 헛되이 외면을 꾸미고 상황(狀況)에 따라 요령껏 처신(處身)하면서 명예(名譽)만을 구하는 태도(態度)를 보인다. 남이 봐줄 땐 공부를 하는 '척'하고, 시험이 있으면 공부를 하는 것은 바로 위인지학(爲人之學)이 될 것이고, 시험과 관계없이 평생토록 자신과 싸움 속에 자신의 덕을 닦아나가는 것이 바로 참된 위기지학(爲己之學)이 아닐까.

위인지학(爲人之學)의 특징은 오래가지 못하고, 즐거움보다는 남에게 내세우려는 욕심이 앞선다. 반면 위기지학(爲己之學)은 오래 하면 할수록 뿌듯함을 느끼고, 터득(攄得)의 기쁨을 누리며, 항상 즐거운 일이니 깊이 생각할 일이다.

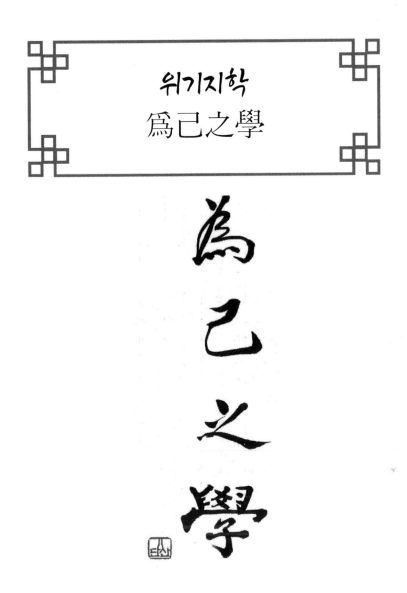

위기지학
爲己之學

爲己之學

古之學者爲己, 今之學者爲人.
고지학자는 위기러니 금지학자는 위인이로다.

과거의 사람들은 참된 공부를 자신을 위해서 하였지만, 요즘의 사람들은 남들에게
보이기 위해서 하는 체를 하는 것이다. 이는 공부하는 마음 자세에 관한 이야기이다.

38일. 언행(言行)

나 홀로 사는 세상이라면 말이 없고, 천성대로 행동하겠지만, 나와 다른 남과 말을 하는 것이니 상대방의 반응을 살필 수밖에 없다. 이때 중요한 역할을 하는 것이 바로 말이다. 말은 진실성을 담보로 한다. 진실한 말에는 믿음이 쌓이고, 거짓된 말에는 의심과 비난이 따라온다. 자기 마음속에 채워져 겉으로 드러난 것이 행동이다. 한마음으로 자신이 하고자 하는 곳에 집중할 때 조금만 성취를 이룰 수 있다. 집중하는 마음을 경(敬), 집요하게 한마음을 갖는 것을 독(篤)이라 한다. 여기서 독실(篤實)하다는 말이 생겼으니, 말은 진실을 토대로 믿음을 쌓고, 행동은 독실한 자세로 지속성을 지닐 때 훌륭한 사람이 되는 것이다.

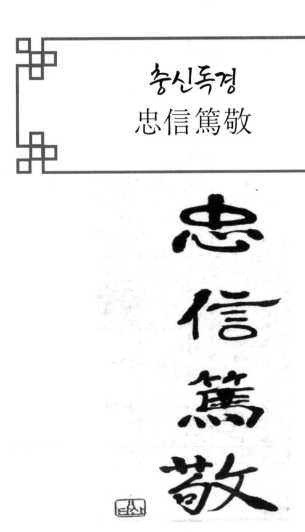

충신독경
忠信篤敬

言忠信, 行篤敬
언충신하며 행독경하라.

말은 진실하고 믿게 하며,
행실은 독실히 조심성 있게 하라.

39일. 살신성인(殺身成仁)으로 삶을 꾸려라

사람은 누구나 태어나면 죽는다. 세상에 태어나서 자기 뜻을 가지고 살다 보면 옳고 그른 기준이 서게 된다. 인생사 큰 틀에서 자신의 삶을 바라보고, 어떻게 살아갈지를 정하는 것을 입지(立志)라 한다. 뜻이 서 있는 사람은 그 뜻을 이루기 위해 밤낮으로 쉼 없이 노력한다. 여기서 그 뜻이 바른지 그른지를 따져봐야 하기에 학문이 필요한 것이다. 이것을 '대체를 세운다'고 말한다. 인류역사상 모두가 스승으로 여기는 사람을 성인(聖人)이라 하고, 성인의 가르침에 따라 자기 삶의 방향과 목표를 설정하는 것이 급선무(急先務)이다. 누구나 생명은 소중한 것이다. 하지만 때론 생명을 버리면서까지 자기 뜻을 이루고자 한다. 누구나 그렇게 할 수 없는 일이지만 이런 사람을 지사(志士)라고 하면, 자신이 추구하던 뜻을 이룰 수 있는 자리에선 자신의 생명을 헌신짝 버리듯 구차하게 구걸하지 않는다.

志士仁人, 無求生以害仁, 有殺身以成仁.
지사인인은 무구생이해인이오 유살신이성인이니라.

지사(志士: 인을 행할 뜻이 있는 선비)와 인인(仁人: 덕을 이룬 사람)은 결코 구차히
살기를 구하지 않고, 자신의 몸이 죽어가는 동안에도 인(仁)을 실천하는 때가 있다.

40일. 자책(自責)은 무겁게 남에겐 너그럽게

우리는 흔히 안되면 조상 탓, 잘 되면 내 공(功)으로 여기는 경향이 있다. 사실 세상에 이 한 몸 나오게 해 주신 것만으로 충분하다. 자기 마음으로 삶을 살아가는 근원이 되고, 말과 행동으로 세상에 자기의 실체를 드러내는 것이다. 내 마음에서 펼쳐지는 모든 것이 다 마음에 들지 않는데, 어떻게 남이 내 마음을 알아줄 수 있단 말인가. 남의 원망이 많아, 반드시 그 사람들이 나를 비난하고 헐뜯는다고 말하지만, 실은 그 원인의 출발은 바로 나 자신의 마음이고, 행동으로 꽃이 피어 좋지 못한 결실을 본다는 것이다. 남을 탓하기 이전에 자기 행동을 돌아보고, 행동의 원인이 자기 마음먹기에 달려있음을 알아야 한다.

躬自厚而薄責於人, 則遠怨矣.
궁자후이박책어인이면 즉원원의니라.

자책은 엄중하게, 남 탓은 가볍게 하라. 원망을 멀어지게 하리라.

41일. 잘못은 나에게

누군들 잘못이 없겠느냐마는 그 원인 규명과 해결 방법에 있어 많은 차이가 있다. 요즘 시대에 군자와 소인이란 말은 쓰지 않지만, 적절한 표현을 하지 않을 뿐, 훌륭한 사람과 그렇지 못한 사람은 구별된다.

모든 원인이 자기 마음에서 우러나 언행으로 드러남을 알아차려 찾아 바꾸고 고치려는 사람이 있고, 자기 마음은 돌아보지 못한 채 모든 원인을 남의 탓으로 돌리는 사람이 있다.

그 결과 자기 마음만 고쳐먹으면, 같은 실수와 잘못은 저절로 사라져 고쳐나아갈 수 있지만, 남의 탓으로 돌리는 사람은 같은 실수를 반복적으로 하게 마련이다.

어느 것을 선택할 것인가. 아니, 어느 쪽이 현명한 삶인가. 깊이 새겨둬야 할 가르침이다.

군자구기
君子求己

君子求諸己, 小人求諸人.
군자는 구저기하고 소인은 구저인이니라.

군자는 잘못된 일이 있을 때 자신을 탓하고, 소인은 남을 탓한다. 이는 마음의 표현으로 군자와 소인이 구별되는 점이다.

42일. 배우는 것보다 더 좋은 게 있을까

밤이 긴 사람도 있고, 하루가 짧은 사람도 있다. 긴긴밤 잠을 이루지 못한 채 이런저런 생각으로 지새운다고 해결되는 것은 없다. 식욕이 없어 온종일 밥도 먹지 않고 자신이 이루지 못한 것을 골똘히 생각한다고 특별한 결과를 빚어내긴 쉽지 않다. 이러한 행동은 내 삶에 무슨 도움이 되겠는가. 공자는 무익하다고 하였다. 배움보다 더한 즐거움과 보람은 없다고 강조하신 말씀이다. 여기서 배움이란 이치를 배워 깨달을 때까지의 과정을 말한다. 이치는 아는 것이 아니라 깨우치는 것이다. 머리가 아픈 것도 아니고 번거롭거나 큰 비용이 드는 것도 아니다. 단지 이치가 있다고 인정하고, 그 이치를 깨쳐서 자기 삶에 유용하게 써먹을 수 있을 때 배움의 참가치가 실현된다. 무익한 일은 제쳐두고 유익한 일을 찾아 실행하는 멋진 삶의 주인이 되고 싶다.

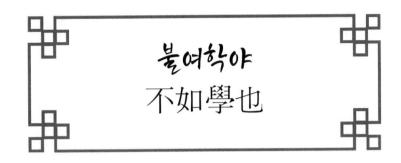

吾嘗終日不食, 終夜不寢, 以思無益, 不如學也.
오상종일불식하며 종야불침하야 이사호니 무익이라 불여학야로다.

내가 일찍이 온종일 음식을 먹지 않고, 밤새도록 잠을 자지 않고 깊이 생각해 보았지만, 그 결과 유익함이 없었다. 그러므로 배우는 것이 최고라는 것을 깨달았다.

43일. 도리(道理)를 걱정하라

논두렁이 터질 것을 걱정하는 사람, 타율(打率)을 걱정하는 사람, 타수(打數)를 줄이는 문제로 씨름하는 사람, 불화(不和)로 괴로워하는 사람 등 수많은 걱정으로 살아간다.

그 사람이 무엇을 걱정하는가에 따라 직업과 직분, 추구하는 바가 드러난다.

난 무엇을 걱정하는가.

수많은 글자로 쓰인 글을 읽으면서 그 속에 들어있는 이치를 터득하지 못하는 것을 걱정한다. 큰 것을 걱정하는 사람은 큰 것을 이루는 것이 목표가 되고, 작은 것을 걱정하는 사람은 작은 것을 이루면 그만이다.

농사를 짓다 보면 가난이 그 속에 들어있고, 도를 터득하기 위해 고민하고 걱정하는 사람에겐 터득하지 못할 어려운 경지에 도달한다.

우도우빈
憂道憂貧

君子 憂道 不憂貧.
군자는 우도요 불우빈이니라.

군자는 도(道)를 체득(體得)하지 못함을 걱정하지, 가난함을 걱정하지 않는다.

44일. 알맞게 생각해라

신중히 생각해라.

어떤 상황이든 속에 들어있는 것은 겉으로 드러나기 마련이다. 눈에 비치는 모든 것에 마음을 두면 생각이 따른다. 공부할 땐 보는 것, 듣는 것, 질문거리를 어떻게 생각하느냐에 따라 결과가 달라진다. 남을 대할 땐 안색(顔色), 어조(語調), 모습을 깊이 생각한다. 자신이 처리할 일에서는 집중해 그 일을 성취하는 것을 목표로 깊이 생각을 요구한다. 누구나 떨쳐버리기 어려운 문제는 바로 화가 나는 상황에서 대처 방법이다. 이때 가장 하고 싶은 것은 말인데, 자제력을 잃고 함부로 떠들거나 행동하면, 뒤따라오는 것은 아픔이요, 고통이요, 어려움이다. 이를 미리 생각하여 말을 줄이고, 거친 행동을 자제하는 것을 생각하는 것이다. 끝으로 수많은 사람이 주고받는 데에서 운명(殞命)이 갈라진다. 받을 것과 주는 것을 떳떳하고 당당하게 하는 사람은 큰 걱정이 없다.

이런 의미에서 9가지 생각은 삶의 지남철 같은 존재로 깊이 간직해야 할 소중한 덕목이다.

君子有九思, 視思明, 聽思聰, 色思溫,
貌思恭, 言思忠, 事思敬,
疑思問, 忿思難, 見得思義,
군자유구사하니, 시사명하며 청사총하며 색사온하며
모사공하며 언사충하며 사사경하며
의사문하며 분사난하며 견득사의니라.

군자는 아홉 가지 깊은 생각을 해야 한다. 첫째, 밝게 보기를 생각하고. 둘째, 똑똑히 들을 것을 생각하며. 셋째, 온화한 안색을 유지하기 위해 노력해야 한다. 넷째, 공손한 모습을 갖추어야 한다. 다섯째, 말은 진실하고 정직하게 할 것을 명심해야 한다. 여섯째, 일에 전념할 때 집중력을 유지해야 한다. 일곱째, 궁금증이 생길 때 질문하는 습관을 지녀야 한다. 여덟째, 화가 날 때는 그로 인한 어려움이 따를 것을 염두에 두어야 한다. 아홉째, 물건을 주고받을 때 의리와 상호 간의 공정함에 대해 신중히 생각해야 한다.

45일. 벽면을 바라보는 사람

시를 배워야 하는 이유는 어디서 찾을 수 있을까? 시경엔 다양한 상황에서의 감흥을 극도록 절제된 언어로 표현하고 있다. 특히 주남 소남은 수신(修身), 제가(齊家)의 핵심이 들어있다. 수많은 서적 중에 시경(詩經)은 삼천 년 전 사람들이 살아가는 모습을 표현한 인류문명의 보고라고 할 수 있다. 시경의 첫 편에 실린 주남(周南), 소남(召南)의 시들은 한 치의 오차도 없이 인간 삶의 진수를 드러낸 모습의 글이다. 이 글을 읽다 보면 마음이 넓어져 이해 못 할 일이 없고, 삶의 궤도를 벗어나는 일이 없다. 이런 글을 읽고 배우지 못한다면, 마음이 꽉 막혀 담장 밑에 코를 대고 있는 것 같은 답답함이 있다. 시간과 공간에 우리의 삶이 있고, 그 삶은 언제나 인간 본성에 기인하고 있다. 이 대 원칙에 벗어나지 않은 주남, 소남을 읽는 의미는 한없이 크고 아름다움의 극치라 하겠다. 어때요. 시경을 한 번 읽어보지 않으실래요. 주남 소남이라도 한 번 읽어보시면 좋겠어요.

장면이입
牆面而立

女爲周南召南矣乎. 人而不爲周南召南, 其猶正牆面而立也與!
여위주남소남의호아 인이불위주남소남이면 기유정장면이입야여인져

당신은 시경의 주남(周南)편과 소남(召南)편을 읽어 보았습니까? 주남 소남을 배워 읽지 못하면, 마치 높은 벽면에 코를 만대고 있는 듯 멀리 볼 수 없는 상황이 됩니다.

46일. 목숨 걸고 지키는 사람

선비란 지금 시대 찾아보기 어려운 이름이다. 하지만 말로 표현하진 않아도 그들의 정신세계는 시대를 뛰어 넘어 길이 이어지고 있다.

선비라고 해서 겉모습이 다른 것도, 의식주가 다른 것도 아니다. 다만 그 사람이 가지고 있는 의식의 세계는 일반인과 다르고, 행동을 다르게 할 뿐이다. 눈여겨볼 것은 바로 하나뿐인 생명을 어떻게 생각하는가에 달려있다. 자기를 낳아주신 부모님, 조상 대대로 살아오고 앞으로도 살아갈 이 땅에 커다란 변고(變故)가 다가온다면, 거리낌 없이 생명을 내놓을 각오를 한다. 일반인의 경우엔 이리저리 빠져나갈 궁리를 하고, 구차하게 피하려는 속성이 있지만, 선비는 그것을 꺼리지 않고 대범하게 대처하는 것이다. 그렇게 살다 간 수많은 선현은 오늘도 이곳저곳에서 그분들의 숭고한 정신을 기리는 사당(祠堂)이 세워져있고, 제향(祭享)이 이어지며, 그분의 정신을 연구하는 학자들이 줄을 잇고 있으니, 깊이 생각할 일이다.

士見危致命, 見得思義, 祭思敬, 喪思哀, 其可已矣.
사견위치명하며 견득사의하며 제사경하며 상사애면 기가이의니라

선비란, 부모나 나라가 위험에 처할 때 자신의 목숨을 아끼지 않고 헌신하는 사람을 말한다. 또한, 재물을 받게 되면 의리와 도덕적인 기준을 넘어서지 않으며, 제사를 지낼 때는 경건함과 존경심을 가져야 하며, 상가(喪家)에 있는 경우에는 슬픔과 애도의 마음으로 행동한다.

47일. 간절(懇切)한 질문(質問)

도(道)는 가까이 있다.

흔히 '도를 닦는다' 하면 세속을 떠나 산으로 들어가거나, 문을 걸어 잠가 두문불출(杜門不出)하는 사람을 말한다. 하지만 사람은 사람 속에 울고 웃고 부대끼면서 그 속에 실천할 길을 찾는 것이 도를 찾는 일이다. 다양한 분야의 학문을 공부하는 이유와 뜻을 독실히 갖는 이유는 모두 그 도를 찾는 마음 자세를 표현한 것이요, 대충 찾다 보면 실천력이 떨어지기 때문에 간절히 묻고 그 해답을 실천할 수 있는 쪽으로 풀어내는 것이다. 공자가 추구한 인(仁)도 결국 사람 사이에서 지켜야 하는 불변의 진리일 뿐이다. 어찌 인간 삶에서 동떨어진 것을 구하고 찾으셨겠는가?

절문근사
切問近思

博學而篤志, 切問而近思, 仁在其中矣.
박학이독지하며 절문이근사면 인재기중의니라.

배움의 폭을 넓히며, 독실한 자세로, 절실히 묻고, 실천에 옮길 생각을 품는다면, 인
(仁)은 바로 그 속에 있다.

48일. 사물잠(四勿箴)이란

삶에서 가장 핵심적인 것은 보는 일, 듣는 일, 말하기, 행동하기로 요약할 수 있다. 이 네 가지를 잘하면, 남의 존경을 받는다. 이 중 한 가지라도 어긋나면 손가락질당하며, 때론 죽음을 불러오기도 한다. 이만큼 소중한 일에 소홀히 할 수 있겠는가. 개인이 닦아야 할 최고의 공부요, 업무이며, 책임이라 할 수 있다. 깊이 생각해 실천하는 데 힘써야 하겠다.

其視箴曰, 心兮本虛, 應物無迹, 操之有要, 視爲之則, 蔽交於前,
其中則遷, 制之於外, 以安其內, 克己復禮, 久而誠矣.
기시잠왈 심혜본허하니 응물무적이라 조지유요하니 시위지칙이라 폐교어전하면
기중즉천하나니 제지어외하야 이안기내니라. 극기복례하면 구이성의리라.

그 視箴에 말하였다.

'마음이여! 본래 허(虛)하니, 사물을 응함에 흔적(痕迹)이 없다. 마음을 잡는 요령(要領)이 있으니, 보는 것이 그 법이 된다. 사물이 눈앞에 가려 사귀면 그 마음은 그곳으로 옮겨가니, 밖에서부터 들어오는 사물을 제재(制裁)하여 그 안에 있는 마음을 편안하게 해야 한다. 오래도록 자기 욕심과 싸워 이겨낸다면 자연스럽게 본래의 모습으로 회복하리라.'

우리의 마음은 텅 비어있어 볼 수 없고 잡을 수 없다. 어떤 물체에 마음이 있어도 아무 흔적을 찾을 수 없다. 이런 마음을 잡기란 어려운 일이다. 그 마음을 잡는 방법이 있다. 무엇을 보느냐에 따라 마음이 그곳으로 흘러가기 때문에 보는 것을 조심해야 한다. 내 마음을 끌어가 흔들어대는 것은 보지 말아야 마음이 안정된다. 오래도록 마음을 이끌어가는 사물을 대하지 않다 보면 자연스럽게 자기 마음을 안정시킬 수 있다.

其聽箴曰, 人有秉彝, 本乎天性, 知誘物化, 遂亡其正.
卓彼先覺, 知止有定, 閑邪存誠, 非禮勿聽.
기청잠왈 인유병이는 본호천성이언마는 지유물화하여 수망기정하나니라.
탁피선각은 지지유정이라 한사존성하여 비례물청하나니라.

그 聽箴에 말하였다.

사람은 병이(秉彝)의 양심(良心)을 갖고 있는데, 이는 천성(天性)에 근본을 두고 있다. 그러나 욕심의 지각이 유혹에 빠져서 물체에 동화되어 결국 본래의 선한 마음을 잊게 된다. 그러나 위대한 선각자들은 그 한계를 알고 안정함을 유지할 수 있었고, 사악함을 막고 참된 가치를 보존하여 예(禮)가 아니면 듣기조차 하지 않았다.

사람은 태어나면서부터 맑고 깨끗한 양심(良心)을 가졌다. 아는 그것만큼 들리고 보이게 되면서부터 좋은 것, 많은 것에 마음이 끌려 욕심(欲心)이 생겨났다. 그때부터 깨끗한 양심이 없어져 바르게 유지할 수 없다. 아! 훌륭한 선각자(先覺者)는 자기 본마음을 알아차려 물욕(物欲)에 휘둘리지 않고 그칠 줄 알았으니, 바르지 못한 마음을 갖지 않고, 참 마음을 보존하여 이치(理致)에 벗어나는 말은 듣지도 않았다.

其言箴曰, 人心之動, 因言以宣, 發禁躁妄, 乃斯靜專.

矧是樞機, 興戎出好, 吉凶榮辱, 惟其所召.

傷易則誕, 傷煩則支, 己肆物忤,

出悖來違, 非法不道, 欽哉訓辭.

기언잠왈 인심지동이 인언이선하나니 발금조망이라야 내사정전하나니라.

신시추기라 흥융출호하나니 길흉영욕이 유기소소니라.

상이즉탄하고 상번즉지하며 기사물오하고

출패래위하나니 비법부도하여 흠재훈사하라.

그 言箴에 말하였다.

마음이 움직이는 것은 말하는 것으로 시작된다. 말할 때 조급해하지 말고, 허망한 말을 하지 않도록 주의해야 한다. 그렇게 하면 내면이 고요해지고 꾸준하게 변화하게 된다. 더욱이 이 말은 자기 생각이 문지방에서 나오는 것과 같으므로, 서로에게 불화를 일으킬 수도 있고, 친구 사이에서 우호적인 관계를 형성할 수도 있다. 좋은 일과 어려운 일, 행복과 불행을 모두 담아내는 것은 입을 통해 나오는 말이다.

말을 너무 쉽게 하면 신뢰성이 없어지고, 너무 복잡하면 이해하기 어렵다. 경솔하게 말하면 남의 마음을 거슬리며, 내가 하는 말이 도리(道理)에 어긋나면 받아들여진 대답도 이치에 어긋날 수 있다. 겉으로 보기에 좋아보일지라도 실제로는 그렇지 않은 말은 꺼내지 않아야 한다. 이것은 심층적으로 경계할 필요가 있는 일이다.

其動箴曰, 哲人知幾, 誠之於思, 志士勵行, 守之於爲,
順理則裕, 從欲惟危, 造次克念, 戰兢自持.
習與性成, 聖賢同歸.
기동잠왈 철인지기하야 성지어사하고 지사려행하야 수지어위하나니
순리즉유요 종욕유위니 조차극념하야 전긍자지하라.
습여성성하면 성현동귀하리라.

그 動箴에 말하였다.

철인(哲人)은 미세한 기미(幾微)를 알아차리고 참을 생각하며, 지사(志士)는 실행에 힘써 자신의 행동을 지속해서 실천한다. 천리(天理)에 따라 행동하면 항상 여유가 있을 것이고, 인욕(人欲)에 따라 움직이면 위험이 도사리고 있는 것이다. 제 아무리 급하고 어려운 순간이라도 깊이 생각하고 조심스럽게 움직여야 한다. 습관이 천성과 같아지면, 성현(聖賢)과 같은 삶을 살게 된다.

사물잠
四勿箴

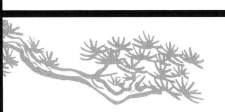

너와 함께 가는 길

剛毅木訥

49일. 씀씀이를 줄이고 사람을 사랑하라

나라를 이끌어가는 지도자의 철칙을 논어에서는 이렇게 설명하고 있다. 언뜻 보기엔 쉬워보이지만, 실제 행동으로 옮기려면 어느 하나도 쉬운 것이 없다. 작게는 자기 집에서 부터 회사 경영으로, 더 나아가 한 나라를 다스리기 까지 이 원칙에서 벗어나는 것은 없다. 통치자의 마음 자세를 명쾌하게 설명하고 있다. 큰 나라든 작은 나라든 매사 신중하고, 믿을 수 있도록 투명성을 확보하라. 씀씀이를 줄이고 사람의 생명을 소중히 하라. 국가에서 사람을 동원할 땐 적절한 시기를 맞춰 실시하라.

무엇보다도 백성의 신망이 두터워야 나라가 살고, 편안한 마음으로 생업에 종사할 수 있게 된다.

절용애인
節用愛人

道千乘之國, 敬事而信, 節用而愛人, 使民而時.
도천승지국호대, 경사이신하며, 절용이애인하며, 사민이시니라.

천 승의 거대한 나라를 이끌어 갈 때, 국사(國事)를 신중하게 처리해야 한다. 또한, 국민에게 믿음을 쌓아야 하며, 말을 적게 하고 자제해야 한다. 사람들을 진심으로 아끼고 사랑하며, 백성들을 동원할 때에는 한가한 시간을 잘 활용해야 한다.

50일. 훌륭한 사람을 좋아하라

참으로 훌륭한 이를 좋아하는가! 자기가 제일 좋아하는 일처럼 좋아하라. 잠시라도 눈에 보이지 않으면 찾을 것이고, 너무 아까워 잃어버릴까 두려워하고, 소중하게 여기는 마음으로 살아가라. 어떻게 소홀히 대할 수 있고, 멀리할 수 있겠는가. 훌륭한 사람의 언행은 자기의 거울이 되고, 지남철이 되어, 삶에 자잘한 실수를 줄이고, 자기도 모르는 사이에 현명한 삶의 주인공이 되지 않겠는가. 많은 사람을 만나 사귀되 이왕이면 훌륭한 사람과 가까이 하라. 그 분의 행동이 내 삶의 롤모델이 되도록 나 자신을 돌아보고 비움으로써 조금씩 닮아가려는 노력이 더해지면 나 또한 그와 같이 훌륭한 사람이 되지 않겠는가.

현현역색
賢賢易色

子夏曰, 賢賢易色, 事父母, 能竭其力, 事君能致其身,
與朋友交, 言而有信, 雖曰未學, 吾必謂之學矣.
자하왈, 현현호대 역색하며, 사부모호대, 능갈기력하며, 사군호대, 능치기신하며,
여붕우교호대, 언이유신이면, 수왈미학이라도, 오필위지학의라호리라.

공자의 제자 자하는 이렇게 말했다. 훌륭한 사람을 존경하고 좋아하는 마음으로 대해야 하며, 잘생긴 사람을 좋아하는 것처럼 대해야 한다. 또한, 부모님을 섬기면서 최선을 다하고, 임금을 섬기면서 목숨을 바치는 마음가짐으로 행동해야 한다. 친구와 교류할 때는 신의를 가지고 말해야 하며, 비록 많이 배우지 못했다 하더라도 배운 사람다운 태도를 갖추어야 한다.

51일. 남을 먼저 알아라

세상에 태어나 인정을 받는 것은 행복한 삶의 중심이다. 하지만 인정받지 못함을 걱정하지 말고, 남의 장점을 알아보지 못함에 대해 걱정해야 한다. 누구나 남에게 인정받는 것을 좋아하고 그러기를 바란다. 남이 나를 제대로 이해하지 못할 때 서운한 감정이 들 수 있다. 그리고 남이 나를 인정하지 않는다는 마음을 가지고 있을 때, 남을 탓하고 원망할 줄 알지만, 자기의 언행을 돌아보며 실수를 찾기는 어렵다. 어떻게 다른 사람이 나를 알아주고 인정해 줄 것만 바라고 있을까. 다른 사람의 장단점을 알아보지 못하고, 그들의 생각을 정확히 읽어내지 못한다면, 어떻게 그 사람과 가까워지고 이해하며 용서할 수 있겠는가. 훌륭한 사람은 다른 사람에게 구하는 것이 아니라 자기의 잘못과 잘못된 점을 찾아내며, 타인을 탓하지 않는 것부터 시작한다.

患不知人
患不知人

不患人之不己知, 患不知人也.
불환인지불기지요, 환부지인야니라.

남이 인정해 주지 않는 것을 걱정하지 말고, 내가 남의 실정을 알지 못하는 것을 걱정하라.

52일. 자식 걱정

자식이 부모에 대한 효나, 부모가 자식을 사랑하는 마음은 항상 변함없다. 자식이 부모의 마음을 읽기는 쉽지 않은 일이지만, 조금이라도 부모의 마음을 이해한다면 말한마디라도 경솔하게 하지 않고, 작은 행동이라도 부모님을 생각하여 함부로 행동하지 않을 것이다. 사람마다 다르겠지만, 자식이 건강하지 못할 때는 항상 건강을 염려하며, 자신의 행동이 거칠다면 타인과의 갈등을 걱정하신다. 이런 생각으로 부모와 자식 모두 같은 마음으로 서로를 걱정하고 아껴준다는 것을 잊어서는 안된다.

唯其疾憂

孟武伯問孝.父母唯其疾之憂.
맹무백이 문효한대,부모는 유기질지우시니라.

맹무백(孟武伯)이 효(孝)에 관해 묻자, 공자는 "부모는 오직 그 자식이 아프지 않을
까 염려하신다"라고 말했다.

53일. 왼 종일 바보 같더니…

안회(顔回)의 도(道)를 깨우쳐 가는 과정을 표현한 말씀이다. 아무것도 모르는 사람은 어떤 이야기를 해도 이렇다 저렇다는 반응이 없다. 공자의 말씀에 수제자였던 안회는 바보처럼 알아듣는지 못 알아듣는지 알 수 없을 만큼 반응이 없었다. 다만 마음속으로 가르침을 깊이 새겨두었다가 가르침을 받고 집으로 돌아가 배운 대로 온전히 실천하는 제자가 얼마나 대견스러웠겠는가. 도는 아는 것이 아니라 깨우치는 것이니, 이 장면에서 참으로 깨달아가는 과정을 볼 수 있다. 오는날 학교에서 학생들의 자세를 살펴보면 많은 차이가 있다. 수업 시간에 배운 것을 깊이 깨닫는 것이 아닌 암기로 공부를 다 했다고 생각하고, 시험을 위한 공부로 여긴다. 가만히 생각하면 시험 성적은 점수가 아닌, 행동으로 나타나는 것이니, 깊이 생각해 볼 일이다.

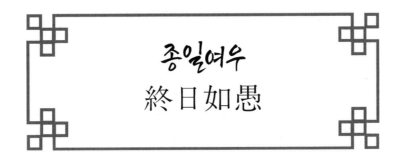

吾與回言終日, 不違如愚, 退而省其私, 亦足以發, 回也不愚.
오여회로 언종일에, 불위여우러니, 퇴이성기사혼대, 역족이발하나니,
회야불우로다.

내가 안회와 온종일 이야기를 하더라도 그는 어리석은 사람처럼 듣기만 하고 아무런 대꾸가 없었다. 그러나 안회가 물러나 집으로 돌아간 뒤 그의 행동을 자세히 관찰해보니, 내게서 배운 것을 정확히 실천하고 있었다. 이를 통해 공자는 안회가 어리석지 않았음을 알 수 있었다. 이 말은 배움의 자세와 실천의 문제를 깊이 알아차리라는 언지를 볼 수 있다.

54일. 그릇으로 굳어져서야!

전인(全人)교육의 핵심을 갈파한 말이다. 그릇 가게에 가면 수많은 그릇이 다양한 모양과 문양으로 자신을 선택해 주기를 바라는 것 같다. 용도에 맞는 그릇을 선택하는 일이 중요한 자리다. 하지만 사람은 큰 그릇이 되기를 바란다. 어떤 생각을 얼마나 깊고 넓게 하고, 얼마나 자주 생각을 하느냐에 따라 그 생각의 폭이 넓어지고, 깊어져 큰 그릇으로 태어날 수 있다. 또 생각에 따라 크기와 모양과 깊이가 다른 모습으로 거듭날 수 있다. 완벽한 그릇으로 다시 태어나기 위해 쉼 없이 노력을 하는 것이다.

하지만 사람을 써먹을 땐, 그릇으로 써야 한다. 적재적소에 맞는 인물을 선택하는 안목을 지녀야 한다. 이처럼 그릇은 두 가지 측면에서 접근해 본다. 한 면은 그릇이 되어 가는 과정으로 인격 수양의 측면이요, 다른 한 면은 그릇을 쓰는 입장에서 살펴봐야 한다. 우리 눈에 보이는 그릇은 한계가 있고, 한 번 만들어지고 나면, 크기와 용량과 깊이와 넓이를 바꿀 수 없지만, 사람의 그릇은 자기의 노력 여하에 따라 얼마든지 바뀔 수 있어 무한한 가능성을 지닌 존재라는 것이다.

군자불기
君子不器

君子不器.
군자는 불기니라.

공자의 말씀에 따르면 군자는 한 가지 일만 잘해서는 안 된다고 한다. 사람이 만든 그릇은 한 번 만들어지면 크기, 깊이, 넓이를 변경할 수 없지만, 사람은 생각에 따라 얼마든지 변할 수 있다는 것이다.

55일. 부자(富者)로 사는 법

하늘이 내게 준 본성을 잘 닦아 살다 보면, 세상살이에 휘둘리지 않고,
삶이 즐거워진다.
살아가면서 많은 것들을 보고 들으면서 확신이 서지 않는 것을 젖혀두고, 확실하다
고 생각되는 것도 조심스레 말을 하며, 신빙성 있는 것을 행동으로 옮기면, 말함에
잘못이 없고, 행함에 후회가 없다.
이 또한 잘 사는 것이니, 굳이 사람이 따지는 승진이나 급여를 말해 뭘 하겠는가.

돈이란 사람마다 먹고살 만큼 주는 법이다.
많은 사람을 먹여 살릴 임무를 부여받은 사람은 많은 돈을 벌어야 하고,
식솔이 단촐한 사람은 그 식구 먹여 살릴 만큼 주는 법이니, 뭘 더 바라겠는가.
뭘 더 바라겠는가.

多聞闕疑, 愼言其餘則寡尤, 多見闕殆, 愼行其餘則寡悔, 言寡尤,
行寡悔 祿在其中矣.
다문궐의요, 신언기여즉과우며, 다견궐태요, 신행기여즉과회니, 언과우하며,
행과회면, 록재기중의니라.

다방면의 말을 듣되 의심나는 부분은 빼놓은 채 자신이 확실히 알고 있는 것도 조심
스레 말하며, 많은 것을 보되 확실치 못한 부분은 빼놓고, 확실한 것도 삼가 실천한
다면 뉘우침이 적을 것이다. 말함에 실수가 적고, 행동에 뉘우침이 적어지면 복록(福
祿)은 저절로 따라오게 마련이다.

56일. 손익법(損益法)

덜어내고 더할 바를 알아라.

단점을 덜어내고 장점을 점점 더 보강하라.

중요한 것은 덜어낼 것과 더할 것을 알아차리는 일이다.

발전을 바란다면, 덜어내라. 나의 잘못된 마음과 행동, 습관을 덜어내라.

덜어내고 또 덜어내어, 덜어낼 것이 없을 때, 나머지를 가지고 지속해 발전시켜나가라. 분명 발전이 있고, 행복해질 것이다.

지소손익
知所損益

所損益
소손익
덜어낼 것과 더할 것을 알아라.

57일. 하늘을 속이랴!

하늘은 사람 속에 가득 차 있다. 좀 더 깊이 말하면 공기가 차 있는 곳은 모두가 하늘이다. 머리끝 부터 발 끝까지, 코로 숨을 쉬어 배 속까지 다 채워진 것이 하늘이다. 이렇게 볼 때, 사람은 하늘의 기운으로 살아간다는 말씀이다. 사람이 태어날 때 하늘에 내게 준 인간 본 마음을 양심(良心)이라하고 그 마음을 잘 보전 길러나가는 것을 양심(養心)이라 하니, 내 마음의 중심에는 양심이 가득 차 있다. 이 양심은 아무도 볼 수 없지만, 하늘은 모두를 보고 듣고 알고 있다고 한다. 이렇게 보면 하늘에게 죄를 지으면 어디에도 의지할 곳이 없다. 심지어 빌어도 소용이 없다는 것이다.

기도란 자신의 잘못을 숨기지 않고 드러내며, 그 잘못을 고치겠다는 다짐의식이다. 하늘에게 죄를 지으면 기도할 곳과 기도할 내용조차 사라져 버린다는 것이다. 모두가 투명하게 살아가는 것을 바라지만, 그렇게 살기는 쉽지 않으므로 깊이 생각해야 할 문제이다.

獲罪於天, 無所禱也.
획죄어천이면, 무소도야니라.

하늘에 죄(罪)를 지으면 용서(容恕)받을 곳이 없구나.

58일. 사람 보는 법(法)

사람을 관찰하는 데에는 중요한 원칙이 있다. 만약 많은 사람 앞에서 이끄는 역할의 지도자라면 작은 실수를 용서해주는 관용(寬容)이 필요하며, 사람들 사이에 지켜야 할 예의와 법규를 알아야 한다. 또한, 사람이 죽어가는 순간에서 슬픔을 느끼는 것은 인간의 본성이다. 본질에서 부족한 사람은 가치가 없다고 할 수 있다. 어떤 사람을 칭송하는 말이 많더라도 그것은 모두 허깨비일 뿐이다. 겉으로 드러난 모습을 보고 칭찬하는 경우가 많아 이렇게 말하는 것이다. 실체와 행동이 일치하는 사람이 참으로 훌륭한 사람이다. 이것은 사람을 보는 대 원칙이 겉모습이 아니라 그 사람의 본성에서 우러나오는 실체와 겉 모습이 일치하는 가에 따라 달라진다는 것이다. 우리는 흔히 헛된 명예와 명망, 과장된 모습에 칭찬과 비난을 일삼는다. 이런 입장에서 깊이 살펴보는 것이 중용한 과제요, 실제를 볼 수 있는 사람이야말로 훌륭한 사람이 아닐까.

하이관지
何以觀之

居上不寬, 爲禮不敬, 臨喪不哀, 吾何以觀之哉.
거상불관하며, 위례불경하며, 임상불애면, 오하이관지재리오

공자의 말씀에 따르면 윗자리에 있으면서도 너그럽지 못하고, 예를 행한다고 하면서 공경하는 마음이 없으며, 상갓집에서 슬퍼하지 않는다면 그 사람을 어떤 기준으로 인간다움을 평가할 수 있겠는가.

59일. 공자는 어쩌면 그리 재주가 많을까

논어에는 공자의 다양한 능력이 겉으로 드러나는 자리가 있다. 그럴 때마다 제자들은 어김없이 질문을 했고, 그 답변은 자신이 어려서 가난한 삶을 살면서 많은 경험을 했다고 전한다. 하지만 사람의 눈에 비친 다양한 능력이 반드시 위대한 것은 아니라는 것이다. 때로는 말이 어눌하고 참을 수 없는 것도 참아내며, 일반인들이 이해하기 어려운 점도 있다.

공자는 하늘의 이치를 명확히 꿰뚫고 있었으며, 천지 만물의 이치를 밝게 알고, 상대방의 처지를 이해할 수 있는 분이셨다. 그래서 일반인들의 눈에는 다양한 분야의 능력이 출중한 것으로 보였고, 당시 사람들은 공자를 그렇게 인식했던 것으로 보이다.

논어는 인류의 본보기가 되는 행동과 말씨를 간결하게 담아내고 있어 논어를 읽으면서 나 자신의 궤적을 찾으려 한다면 조급해질 수도 있다. 때론 너무 높아 하늘을 오르는 듯, 하염없이 넓어 바다를 맨 발로 건너려는 듯, 불가능하게 다가올 수 있다. 하지만 조급히 접근하지 말고 천천히 생각하면 자기의 말 한 마디와 움직임, 상대방을 보는 눈과 자기를 돌아보는 시간이 바로 공자와 같은 성인의 가르침을 조금씩 따라가는 것임을 알 수 있다.

大宰問於子貢曰：「夫子聖者與？何其多能也？」

子貢曰：「固天縱之將聖，又多能也。」

子聞之，曰：「大宰知我乎！吾少也賤，故多能鄙事。君子多乎哉？不多也。」

태재문어자공왈 부자성자여 하기다능야

자공왈 고천종지장성 우다능야

자문지왈 태재지아호 오소야천 고다능비사 군자다호재 불다야

태재가 자공에게 물었다. '공자는 성인이시냐? 어쩜 그리도 능력이 있지.'

자공이 대답했다. '참으로 하늘이 내리신 성인이고 또 능력도 많으시지.'

이런 대화를 들으신 공자 말씀에 '태재가 나를 아는구나! 내가 젊어 벼슬살이에 나가지 않았을 때, 호구지책으로 많은 일을 했었지. 그런데, 군자는 능력이 많아야만 되는가? 꼭 그렇진 않구나.

60일. 인후(仁厚)한 마을

누구나 선택은 중요하다. 자신이 살 집이나 동네를 선택하는 것도 그중 하나이다. 요즘과 같이 어려운 삶 속에서 이웃들과 잘 어울리는 것은 행복한 일이다. 사람들은 다양한 이유로 특정 마을에 살게 되지만, 대대로 이어져 온 마을에 사는 사람들도 있다. 그러나 동네가 좋아서만이 아니고, 경치가 아름다워서 선택한 것은 아니다. 그 마을에 사는 사람들의 마음이 어떠한지를 꼭 살펴보아야 한다. 외관상 멋진 마을일지라도 주민들의 인심이 좋아야 한다. 따뜻하고 친절한 인간미가 살아 숨 쉬고 있는 마을을 선택하는 것 또한 자신의 몫이다. 요즘은 교통의 편리성과 가격 상승 등을 고려한다고 하지만, 더 인간다운 삶을 원한다면 자기 자신의 부족함을 메워 줄 수 있는 멋진 친구가 있고, 함께 어울릴 수 있는 취미를 실현할 수 있는 공간과 훌륭한 인격체가 사는 곳에서 아름다운 사람들과 함께하는 삶을 꿈꾸는 것도 좋다.

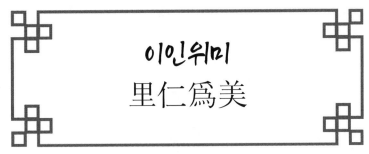

이인위미
里仁爲美

里仁爲美
이인이 위미라

마을에 어진 인심(人心)이 있다는 것, 참으로 아름답구나!

61일. 잘못을 보면!

사람을 관찰하는 방법에는 그 사람의 잘하는 면을 보는 것도 있지만, 그 사람의 잘못을 보면서도 성품과 행동을 살펴볼 수 있다. 종종 우리는 잘못을 보면 그 사람을 비판하거나 부정하는 경향이 있다. 하지만 자세히 살펴보면 잘못에도 두 가지 유형이 있다. 하나는 노력하다가 실수를 저지르는 경우이고, 다른 하나는 의도적으로 잘못을 범하는 경우다. 서경에도 이러한 상황에 대처하는 방법이 언급되었다. '노력하다가 실수하는 경우에는 그 실수의 크기를 따지지 말고 용서하고, 의도적인 잘못은 아무리 작아도 용서해서는 안 된다'고 말한다. 따라서 군자는 후한 마음으로 행하다가 실수하는 경우가 있으며, 소인들은 야박하게 굴어서 의도적으로 잘못을 범할 수 있다. 이것을 '관과지인(觀過知仁)'이라 하며, 사람 보는 대원칙이다.

觀過 斯知仁矣.
관과에 사지인의로다.

"그 사람의 잘못을 보고 그 사람을 평가할 수 있다. 군자(君子)는 후하게 처리하려다 가 잘못을 범하며, 소인(小人)은 야박하게 하려다 실수를 저지른다."

62일. 선비의 뜻

도(道)에 의미를 두었다면 진지하게 도를 추구해야 한다. 도는 화려하다고 해서 더 큰 것도 아니며, 초라하다고 해서 작은 것도 아니다. 그것은 외부적인 형태에 구애받지 않고 변함없이 흐르는 것이다. 사람마다 자신만의 도가 있으며, 물체마다 해당하는 도가 있다. 우리는 사람으로 태어나 사람의 도를 깨우치고, 인간다운 삶을 살기 위해 마음을 다지고, 지속적인 노력으로 그 도를 깊이 이해하려고 해야 한다. 이러한 노력과 추구가 선비의 삶이다. 선비의 본질을 벗어난 사람은 그 어떤 말로도 선비도를 설명할 수 없다.

士志於道, 而恥惡衣惡食者, 未足與議也.
사 지어도, 이치악의악식자는, 미족여의야니라.

선비가 도(道)를 터득(攄得)하겠다고 마음을 두면서, 남보다 허름한 옷을 입고, 소박한 음식을 먹는 것을 부끄러워한다면, 그와 함께 도(道)를 논의(論議)할 수 없구나!

63일. 어디에 밝은가

소인배가 이익에 민감한 것처럼, 군자는 의리에 민감하게 처신한다. 현대 사회에서는 소인과 군자라는 용어를 사용하지 않지만, 여전히 소인(小人) 같은 특성을 가진 사람들과 군자다운 삶을 살아가는 사람이 있다. 군자는 어떤 일이든 혼자서 해결할 수 있지만, 소인은 절대 혼자서 나쁜 일을 하지 않고 반드시 다른 사람들과 함께해야 그 일을 할 수 있다. 혼자서 해결하기 어려운 일도 군중심리를 활용하여 평범한 사람들이 감히 시도하지 못 하는 일을 해내는 것이다.

군자와 소인의 판별은 바로 그 마음속에 의리를 기준으로 세상을 판단하고 처리하며 살아가느냐와 욕심과 이익만을 따지느냐에 달려 있다. 그 마음속에 핵심적으로 담긴 생각은 의리를 중요시하느냐. 이익을 따지느냐에 따라 구분된다.

이러한 관점으로 나는 과연 어느 쪽에 더 가까운 사람인지 깊이 생각해야 한다.

유어의리
喻於義利

君子喻於義, 小人喻於利
군자는 유어의하고, 소인은 유어리로다.

군자는 의리(義理)에 밝고, 소인은 이익에 밝은 법!

64일. 현명함을 따르라

자신을 돌아보라.

수천 년 전부터 전해져 내려온 고사성어(故事成語)를 배우는 이유는 그 속에 배울 점이 있기 때문이다. 고사성어는 옛날 실제 있었던 사건에서 유래된 성어로, 그 핵심 내용은 두 가지일 뿐이다. 하나는 아주 훌륭한 삶을 살아 뒷 날 본보기가 되는 것이요, 또 다른 하나는 입에도 담기 어렵고, 차마 볼 수 없는 처절함이나 부끄러운일, 즉 하늘에 부끄러운 일을 담고 있다. 이를 배우는 목적은 하나는 본받기 위함이요, 또 다른 하나는 본보기로 삼아 자기는 그런 일에 얽히지 않으려는 다짐의 계기를 삼는 것이다.

세상은 항상 그렇지 않다. 잘하는 사람이나 본받을 점이 있는 사람은 시기와 질투로 인해 오히려 멀리하게 된다. 게다가 다른 사람들의 잘못을 보면서도 바르게 이끄는 것이 아니라, 그들과 동조하거나 방관하여 그들이 더 큰 잘못을 저지를 수 있도록 하는 경우가 많다.

고사성어의 주인공의 행실을 돌아보며 자기 삶의 거울로 삼을 수 있는 사람은 누가 뭐래도 훌륭한 사람이라 할 수 있다.

見賢思齊焉, 見不賢而內自省也
견현사제언하며, 견불현이내자성야니라.

현명한 사람을 만났을 때에는 자기도 그와 같이 현명해지려고 노력하고, 어질지 못한 행동을 일삼는 사람을 보면서 자기 자신에게 그런 잘못이 없는지를 깊이 생각해야 한다.

65일. 낮은 소리로

은근히 간하라!

생각의 차이는 누구나 가지고 있다. 부모와 자식 간에도 똑같은 일과 물건에 대해서도 발생한다. 부모도 사람이기 때문에 순간의 판단이 잘못되면 실수할 수 있다. 자식의 시선에서 보인 잘못도 때로는 옳을 수 있다. 단순히 제 생각으로 부모님을 큰 소리로 비난하거나 화를 내는 것은 서로에게 도움이 되지 않는다. 비록 부모님의 잘못이 있다고 하더라도, 차분한 마음으로 상황에 맞춰 말씀을 전하는 것이다. 이런 상황에서 부모와 자식의 관계를 잘 지켜 나가기는 참 어렵다. 특히 자신의 시선에서 보인 잘못을 지적하거나 이야기할 때, 서로 멀어지고 어려워진다. 이 점에서 논어에서 제시한 '기간(幾諫)' 즉, 기미를 살펴 조용히 말씀드리라는 가르침은 깊은 울림을 준다.

사부기간
事父幾諫

事父母幾諫
사부모호대 기간하라.

부모를 모실 때, 부모의 잘못됨을 보면, 화를 내지 않고 편안한 얼굴로 낮은 목소리로 조용히 간(諫)할지니라.

66일. 충고(忠告) 할 땐

기미(幾微)를 살펴서 충고(忠告)하라.

친구란 친함으로 오랜 세월 함께하는 관계이다. 그 바탕에는 서로를 이해하고 잘못을 공유하며, 잘못된 길로 빠지지 않도록 미리 충고해 주고, 그 충고를 받아 고칠 수 있는 관계이다. 하지만 충고는 하는 사람도 어려운 일이며, 받아들여 자신의 잘못을 고치는 일은 더 어려운 일이다. 그 어려운 일을 자주 한다면, 그때부터 충고가 아니라 잔소리로 들릴 수 있으며, 잘못을 고치기보다는 더 깊은 잘못으로 이끌어갈 수 있다. 참으로 소중한 친구라면 받아들일 수 있을 만큼 충고하여 잔소리로 들리지 않는 범위 내에서 하는 것이 좋다. 받아들이지 못할 때, 잠시 자기의 견해를 내려 놓고 때를 기다려 기회를 살펴 은근히 이끌어 가는 것이 좋다.

朋友數, 斯疏矣.
붕우삭이면, 사소의리라

의리(義理)로 맺어진 친구간(親舊間)에 자주 잘못을 지적하면, 그 관계(關係)가 오히려 멀어진다.

67일. 사람을 잘 사귀는 법

사람과 사귀는 법, 벼슬이 낮다고 무시하지 말고, 재산이 없다고도 무시하지 않을 때, 그 친구를 위하는 마음이 오래도록 변하지 않는다.

누구든지 처음 만날 때는 존칭어를 사용하며, 두 번째 만날 때는 간혹 반말이 섞여 나올 수 있다. 세 번 이상 만나면 나이나 지위를 따지며 어깨를 툭툭 치며 반말을 사용한다. 그 이상 오래 알게 되면서 친해진다는 이유로 막말이나 쌍소리를 하기도 한다. 요즘 우리 주변에서 흔히 볼 수 있는 일이다. 그러나 쌍소리를 듣고 친해진다고 여기는 사람들은 얼마나 될까. 이것이 진정 친해지는 과정일까 깊이 생각해 보자.

오래도록 변함없는 친분을 유지하기 위해서는 상대방을 존경하는 마음으로 공경해야 한다. 내가 상대방을 존중하고 말을 함부로 하지 않으면, 상대방도 나를 함부로 대하지 않는다. 이런 경우 "구이경지(久而敬之)"라는 가르침은 참으로 좋은 말로서 깊게 기억할 가치가 있는 금언(金言)이다.

善與人交, 久而敬之.
선여인교하니, 구이경지로다.

다른 사람과 잘 사귀는 것은 오래되면 될 수록 서로 공경할 때 가능한 일!

68일. 안빈낙도(安貧樂道)!

안빈낙도(安貧樂道)라는 말이 있다. 이는 '가난한 환경에도 흔들리지 않고 도(道)를 즐긴다'는 의미이다. 이 말을 실제로 경험해본 사람이어야만 그 의미를 이해할 수 있다. 극도로 가난하여 식사를 제대로 할 수 없는 상황에서 굶주린 자식의 몸이 말라비틀어지고, 배고프다 울부짖고 질병에 시달리는 모습을 보면, 자기 마음은 흔들릴 수밖에 없다. 논어에 나온 공자의 수제자 안회의 이야기는 많은 생각을 하게 한다. 안회와 함께 살았던 가족의 일은 거의 찾아볼 수 없으며, 다만 가난한 집에서 열심히 도를 찾아 노력하는 모습과 그 마음을 칭찬하는 구절만 남겨져 있다. 그렇다면 그가 찾던 것은 참으로 무엇이고 어떤 것인지, 또 얼마나 소중하고 귀중한 것인지, 배고픔조차 아랑곳하지 않고 추구하며 즐겼던 것일까. 이런 생각에 잠기기 위해 두 눈을 감고 깊은 생각에 잠겨본다.

不改其樂

賢哉, 回也! 一簞食, 一瓢飲, 在陋巷, 人不堪其憂,
回也不改其樂. 賢哉, 回也!
현재라 회야여! 일단사와, 일표음으로, 재루항을, 인불감기우어늘,
회야 불개기락하니, 현재라, 회야여!

훌륭하구나! 안회여, 다른 사람들은 보잘것없는 식사와 조롱박으로 마시는 물 한 모금으로도 겨우 버틸 수 없는 가난한 시골에서 살아가는 것을 감당하지 못하는데, 안회는 자신이 따르고 있는 도를 지키며 그것을 즐기니 정말 훌륭하구나.

69일. 가르침에 게을러서야!

학문(學問)이란 이치를 터득하기 위해 노력하는 일이다. 다시 말해, 그 이치가 존재한다는 것을 배우고 찾아내어 그 이유를 깨닫는 과정을 의미한다. 깨달은 이치는 과거나 현재에 변함이 없으며, 단지 그것을 먼저 깨달은 사람과 나중에 깨닫는 사람의 차이가 있을 뿐이다. 선각자(先覺者)로서 해야 할 가장 중요한 일은 지식을 가르치는 것이다. 모든 사람은 같은 이치를 타고 태어났기 때문에 배우고 습득할 수 있다. 학문을 통해 인생의 큰 방법을 깨닫는 일은 어떤 것보다도 즐거운 일이며, 깨달음을 공유하는 것은 더 큰 기쁨을 준다. 따라서 가르칠 때 소홀하지 말고, 그것을 즐거움으로 여기며 지칠 줄 모르고 노력해보자.

회인불권
誨人不倦

黙而識之, 學而不厭, 誨人不倦.
묵이지지하며, 학이불염하며, 회인불권하라.

말로 떠벌리지 않으면서 마음속에 그 의미를 새기며, 배우기를 싫어하지 않으며, 남을 가르치는 것을 게을리하지 말라.

70일. 세 모서리로 반증(反證)하라

간절히 알고자 하는 마음이 없다면 아무리 가르쳐도 소용이 없다. 자신의 무지를 깨닫고자 하는 간절함이 없는 사람은 깊은 수준에 도달할 수 없다. 절박한 마음으로 진지하게 알아보려는 사람만이 단추를 풀면 옷을 벗을 수 있는 것처럼, 간절히 해결하고자 했던 의문을 해소할 수 있다. 확실히 깨달은 것은 언제 어디서나 말로 설명할 수 있으며, 실제로 실천할 수 있다. 어렵게 깨달은 것을 말로 설명하려 할 때는 많은 어려움이 있지만, 그런 마음으로 설명하려는 사람일수록 가르침의 효과를 보게 된다. 자신이 배워 확실히 이해한 것은 반증할 수 있으며, 예를 들어 설명도 가능한다. 참으로 깨달을 때까지 학습과 배움은 멈출 수 없다.

이삼우반
以三隅反

不憤不啓, 不悱不發. 擧一隅, 不以三隅反, 則不復也.

불분이어든 불계하며, 불비어든 불발호대, 거일우에, 불이삼우반이어든, 즉불 부야니라.

모르는 것을 알기 위해 분발하지 않는다면 그에게 이해를 돕지 않으며, 어설프게 알고 있는 것을 명확하게 설명하려고 노력하지 않는다면 말이 막히는 부분을 해결해 주지 않을 것이다. 예를 들어 사각형의 한 모서리만 설명했을 때, 나머지 세 모퉁이로 반증할 수 없다면 더 이상 가르치지 않겠다는 의미이다.

71일. 스승은 어디든지 있다

우리가 살아가면서 악을 보면 그것을 경계하여 내 마음에는 그런 나쁨이 없는지 살펴봐야 하고, 선을 보면 나도 그렇게 따라 하고 싶어 한다면, 세상 모든 곳에 스승이 있다. 배우려는 마음을 가진 사람은 언제 어디서나 배울 수 있다. 잘하는 사람을 볼 때는 그들의 좋은 예를 본받아 따라 하려 하고, 못하는 사람을 볼 때는 자신도 그와 같은 실수를 하는지 살펴보아야 한다. 이러한 마음이 있다면 어디를 가든 무엇을 만나든 배울 수 있는 요소가 있다. 또한 장자(莊子)에서 '선과 악이 모두 나의 스승이다'라는 표현이 있듯이, 큰 틀에서 볼 때 이런 생각을 하게 된다. 스승은 어디나 있다는 말은 언제 어디에 가든, 누구에게라도 배움이 있다는 말로, 선결 조건은 자기의 마음을 열어 두는 것이다. 열린 마음으로 세상을 살면 배움은 끝이 없는 즐거운 일이다.

三人行, 必有我師焉, 擇其善者而從之, 其不善者而改之.
삼인행에, 필유아사언이니, 택기선자이종지요, 기불선자이개지니라.

어떤 일을 하는 세 사람 중 반드시 내가 스승으로 삼을 만한 사람이 있다고 한다. 잘하는 사람은 본받아 그들의 모범을 따르고, 잘하지 못하는 사람은 경계하여 그들의 부족한 점을 살펴야 한다.

72일. 걱정은 걱정을 낳는다

군자는 사리사욕의 노예가 되지 않기 때문에 항상 너그럽고 넉넉하다. 하지만 소인들은 이해와 이익 속에서 마음을 졸이는 법이다. 군자는 의리와 도덕에 충실하여 낮이나 밤이나 누구 앞에서도 당당할 수 있는 사람이다. 반면에 소인들은 자신의 욕심을 채우기 위해 항상 남의 시선을 의식하고 있으며, 자기 잘못이 밖으로 드러날까 걱정하며 두려워 한다. 밤에 잠이 오지 않는 이유를 찾으려면, 진실성 있는 일을 하고 있는지 혹은 아직 미숙한 일을 꾸미고 있는지 차분히 생각해 보아야 한다.

소장척척
小長戚戚

君子坦蕩蕩, 小人長戚戚.
군자는 탄탕탕이오, 소인은 장척척이라.

군자는 항상 마음이 여유(餘裕)롭고, 소인은 늘 근심에 휘말린다.

73일. 두려운 후배

외적인 면에서는 선후배의 구분이 있다. 나이와 학력을 따지는 사람들에게는 이러한 구분을 더욱 중요하게 생각한다. 그러나 모든 것은 다 때가 있어 공부할 때 게을리하면, 뒤따라오는 후배들의 기세에 밀려나거나 뒤처지기도 한다. 학문은 지속적인 노력이 중요한 것이다. 겉으로만 공부하는 것이 아니라, 내면에 내재(內在)한 이치(理致)를 깨우치기 위해서는 깊고 넓은 사고와 변함없는 오랜 시간의 노력을 필요로 한다. 후배로서는 선배를 따라잡겠다는 마음을 가지고, 선배로서는 후배들에게 따라잡히지 않겠다는 결심으로 최선을 다해야 한다. 선배는 후배에게, 후배는 선배에게 뒤 처지지 않고, 따라잡을 수 있도록 최선을 다 하는 노력이 필요하다.

後生可畏, 焉知來者之不如今也.
후생이 가외니 언지래자지불여금야리오.

공자 말씀에 후배들은 참으로 두려운 존재다. 어떻게 그들이 현재의 나보다 못하다
하겠는가.

74일. 뜻을 빼앗을 수 없다

철통같이 굳게 지키고 있는 전장에서 많은 사람을 통제하는 장수라도 포위망을 뚫고 들어가 잡을 수 있다. 그러나 하찮아 보이는 사람일지라도 그의 굳은 뜻은 빼앗을 수 없다. '꼿꼿이 자기 뜻을 세우라!' 다른 사람의 말에 휘둘리지 않고, 빼앗기지 않을 만큼 단단한 의지를 갖춰야 한다. 특히 물질적 유혹에 매달리지 말고, 이전에 가지고 있었던 숭고한 마음을 잃지 않도록 노력하라. 세상이 나를 알아주지 않는다 탓하고, 출세를 하겠다는 명분은 핑게에 불과하다. 어진 사람이라면 제 한 몸 죽어가면서도 자기가 지켜왔던 숭고한 생각을 지켜 구차하게 구걸하지 않는 삶의 소유자가 되어야 한다. 그 누가 내 마음을 빼앗아 갈 수 있겠는가.

三軍可奪帥也, 匹夫不可奪志也.
삼군은 가탈수야어니와 필부는 불가탈지야니라.

공자 말씀에 삼군(三軍:육·해·공군)을 지휘하는 장수는 사로잡아 빼앗을 수 있지만,
아무리 하찮은 사람이라도 굳은 그 사람의 뜻을 그냥 빼앗을 수 없다!

75일. 선비의 지조(志操)

선비의 절개와 지조는 언제나 드러나는 것이 아니다. 일상적인 상황에서는 보통 사람들보다 부족해 보일 수도 있다. 앞산을 보라. 드문드문 소나무와 참나무가 심겨 있을 때, 봄부터 가을까지 숲이 우거져 소나무의 푸르름은 눈에 잘 띄지 않지만, 겨울철에 나뭇잎이 다 떨어진 때에야 푸르름을 지키고 있는 소나무가 확연하게 보인다. 마찬가지로 선비의 마음도 일상적으로는 평범한 사람과 다른 바 없어 보인다. 그러나 궁박(窮迫)한 상황이 찾아오면 평소에 간직하고 있던 굳고 단단한 마음이 드러난다. 자신의 의지를 세우려면 남들에게 자랑하지 말고, 내면에서 깊이 굳게 다져야 한다. 얕은 담은 쉽게 넘겨다 볼 수 있지만, 깊은 물은 흐름조차 보이지 않으니, 선비의 삶도 이와 같다.

세한지송
歲寒知松

歲寒然後知松柏之後彫也.
세한연후에지송백지후조로다.

날씨가 쌀쌀해지는 겨울이 되어야 소나무와 잣나무가 늦게 시들어짐을 알 수 있다고 한다. 마찬가지로 어려운 상황이 펼쳐지면 그가 지켜왔던 절개가 굳고 단단함을 알 수 있다.

76일. 지혜로운 사람

의심의 원인은 명확히 알지 못하기 때문이다. 일을 처리할 때, 명확하게 그 일에 대한 이해를 갖고 있는 사람은 고민 없이 정확히 처리할 수 있다. 걱정은 아직 일어나지 않은 미래의 일을 이미 경험한 과거의 결과로 예측하는 것이다. 두려움은 불분명한 미래를 현실로 받아들이는 것에서 비롯된다. 이런 관점에서 현명한 사람은 이성적으로 판단하여 의심을 품지 않으며, 지혜로운 사람은 하늘에 자신감 있는 이치로 모든 일을 처리하며 근심과 걱정을 하지 않는다. 용감한 사람은 불확실한 미래를 확신으로 바꿀 수 있는 사람이다.

지자불혹
知者不惑

知者不惑, 仁者不憂, 勇者不懼.

지자는 불혹하고, 인자는 불우하고, 용자는 불구니라.

공자 말씀에 지혜(智慧)로운 사람은 사리(事理)에 밝아 의혹(疑惑)하지 않고, 어진
사람은 사사(私事)로운 욕심이 없어서 근심하지 않고, 용감한 사람은 소신(所信)이
투철(透徹)하여 두려워하지 않는다.

77일. 함께 공부하는 사람

같은 길을 걷더라도 각자의 차이가 있다. 함께 있더라도 생각이 다르며, 노력의 정도에 따라 도달하는 지점도 다르다. 가르치는 사람의 입장에서 그 사람이 받아들일 수 있는 수준에 맞춰 설명하고 이해시키는 노력이 필요하고, 공부하는 입장에선 자신의 목표를 설정하여 도달한 뒤, 조금씩 더 높은 목표를 설정하여 실천하는 것이 중요하다. 논어에 나온 많은 제자들의 단계가 있다. 그 중 가장 높은 경지를 권도(權道)라 하는데, 여기서 말하는 권도(權道)란 시간과 공간에 따라 동일한 원리를 다양하게 활용하는 능력이다. 이는 학문의 극치에 도달한 사람들만이 가지는 특징이다. 예를 들어 공자의 많은 제자 중 안 회나 증자와 같은 수제자들은 한 단계만 더 올라가면, 공자와 같은 성인(聖人)의 경지에 도달 할 수 있으니, 사람의 단계가 다양하고, 가르침과 배움의 수준이 다 다름을 인정하는 것이 좋다.

可與共學, 未可與適道, 可與適道, 未可與立, 可與立, 未可與權.
가여공학이오도 미가여적도며, 가여적도오도 미가여립이며, 가여립이오도
미가여권이니라.

공자의 말씀에 따르면 함께 배워도 모든 사람이 도의 경지에 도달할 수는 없으며, 깊은 지식을 가지더라도 확고한 학문적 성과를 이루지 못할 수 있다. 또한, 업적이 있다고 해도 그것이 모든 시대에 걸쳐 언제나 적용 가능한 권도를 부릴 수 있는 경지에 이를 수 없다.

78일. 내가 싫으면 남도 싫은 법

문(門)은 귀중한 것이다. 문을 여닫고 지나가는 행위에 따라 삶이 변화하며 행운과 불행이 갈린다. 만약 문밖에 아주 소중한 손님이나 높은 지위의 분이 나를 부르거나 기다리고 있다면, 아무도 소홀히 하지 않고 문을 벌컥 열거나 큰 소리가 나도록 닫지 않을 것이다. 이렇게 공경하는 태도는 자신의 일거수(一擧手), 일투족(一投足)에서 그 사람의 본 마음과 모습이 드러난다. '개구리 올챙이 시절 모른다'라는 속담처럼, 자신의 위치에 따라 아랫사람에게 부당하게 일을 시키려는 사람도 있다. 인간은 항상 중간자의 역할을 맡고 있다. 아래 있는 사람, 위에 있는 사람, 좌우로 다양한 사람들이 있기 때문이다. 앞선 사람의 행동이 마음에 들지 않으면, 나도 그 앞선 사람과 마찬가지로 뒷사람에게 마음에 들지 않는 일을 시키면 안 된다. 남이 하기 싫어하는 일이나, 내가 하기 싫은 일은 남에게 시키지 말아야 한다. 이렇게 살면 언제나 흔들림 없는 마음의 주인으로서 존경받는 삶을 영위할 수 있지 않을까.

不欲勿施

出門如見大賓, 使民如承大祭. 己所不欲, 勿施於人.
在邦無怨, 在家無怨.
출문여견대빈하며, 사민여승대제하고,
기소불욕을 물시어인하라. 재방무원하며, 재가무원하리라.

문밖에 서 계신 손님을 맞이할 때는 공손한 태도로 대해야 하며, 백성을 다스릴 때는 큰 제사를 지내는 것처럼 신중해야 한다. 자기가 하기 싫은 일은 남에게 시키지 않도록 한다. 이렇게 살면 나라 안에서도 원망받는 일이 없어지며, 가정 내에서도 원망이 생기지 않을 것이다.

79일. 신뢰는 말보다 앞에 있다

근원과 지류, 먼저 할 일과 나중에 할 일을 명확히 구분하여 본질과 부차적인 것을 분별하면, 뒷일은 자연스레 해결된다. 이렇게 선후와 본말을 분명하게 이해하는 것은 큰 공부이자 지혜라고 할 수 있다.

자로는 친구들과 약속할 때, 어떻게 대답할지를 마음속에 담아두지 않고 즉각적으로 판단하여 답변하고 그 답변을 실천한 대표적인 인물이다. 명쾌한 응답과 행동으로 신뢰를 쌓았다 하여 오늘날까지 논어에 이름이 남아 전해지는 인물이다. 요즘처럼 약속을 지키지 못하는 사회에서는 이 소중한 교훈을 깊이 가슴에 새기는 것이 중요한 일이다. 이 처럼 신재언전(信在言前)이란 말은 믿음은 말 보다 앞선다는 말이다. 평소 그 사람의 언행이 믿음의 본 바탕이 되어 지금 당장 말하지 않아도 믿을 수 있고 믿지 못함의 판단 기준이 된다는 말이다.

신재언전
信在言前

信在言前
신재언전

아무리 '나는 믿을 수 있는 사람'이라고 해도 때로는 아무도 믿지 않을 수 있는 경우가 있다. 말하기 전에 이미 믿음은 내부에 함께 존재하고 있다. 이는 말하기 전에 이미 신뢰의 싹이 돋아나고 꽃을 피운다는 의미이다. 이 말은 공자의 제자인 자로(子路)를 칭찬하는 말이다.

80일. 하소연의 실체

참소는 남을 헐뜯는 행위이며, 하소연은 자신의 감정을 인정받기 위한 몸짓이다. 이 두 가지는 공통으로 상대방이 진실을 알아차리지 못하도록 행동하는 것이다. 침윤(浸潤)은 종이에 물을 서서히 젖게 하는 것을 의미하며, 처음에는 쉽게 알아채지 못하지만, 어느새 종이가 완전히 젖어있다는 사실에 놀라게 된다. 반면 부수(膚受)는 예리한 것으로 살갗을 긁어내는 것을 말한다. 이것은 다급하게 상대방의 마음을 빼앗으려고 하는 행위로 일반적으로 깊은 밤 남녀의 사랑을 나눌 때 주로 벌어진다. 다시 말해, 자신의 신체를 이용하여 상대방의 마음을 속여빼앗으려는 것이다. 이 두 가지 방법을 사용하여 자기의 진심을 감춘 채, 소기의 목적을 달성하려 달려드는 사람의 실질을 파악하기는 매우 어렵다. 그러므로 이를 알아차리고 속임에 속지 않도록 하는 것은 지혜롭고 현명한 사람만이 가능한 일이다.

부수지소
膚受之愬

子張問明. 子曰浸潤之讒, 膚受之愬, 不行焉, 可謂明也已矣.

浸潤之讒, 膚受之愬, 不行焉, 可謂遠也已矣.

자장이 문명한대자왈 침윤지참과 부수지소 불행언이면 가위명야이의니라.
침윤지참과 부수지소 불행언이면 가위원야이의니라.

자장이 '밝음'에 관해 물었다. 남의 행동을 비판할 때, 듣는 사람이 그 진실을 알아차리지 못하도록 서서히 접근하거나, 절박한 하소연과 같은 방법으로 접근할 때, 그 진실을 파악하여 대처할 수 없다면, 밝음이라 할 수 없다. 남의 행동과 말을 비난하려는 사람이 종이에 물이 스며들어 젖어들 듯, 눈치채지 못하게 접근할 때, 그 실체가 어디에 있는지 알아차리지 못한다면 분명 속임수에 걸리게 되니, 어떻게 멀리 내다보는 안목을 지녔다 하겠는가.

81일. 안색을 살펴라

우리는 일반적으로 모든 원리를 깨달아 세상의 모든 사람에게 알려지는 현달(顯達)과 한 분야에서 뛰어난 업적을 남기며 일시적인 명성을 얻는 명문(名聞)을 구별하지 못한다. 그러나 이 구별의 핵심은 성(誠: 진실함)과 불성(不誠: 거짓함)의 차이에서 비롯된다. 명문(名聞)이란 명성이 세상에 드러난다는 말로 그 실체를 파악하지 못해도 이름이 나는 것을 말한다. 이는 얼굴이 잘 생겼거나 속내를 감추고 남에게 싹싹하게 대하는 것으로도 이름을 얻을 수 있어, 언행일치가 되지 않는 경우다. 평소엔 태연한 마음과 넉넉함으로 남을 대하지만, 실제 자기의 본 모습과 일치하지 않는 사람으로 유명세를 타는 사람이다. 현달은 자기를 위해 진지하게 덕을 닦고 사물의 본질을 명확히 이해하는 사람으로, 자신의 이름을 강조하려 하지 않아도 자연스럽게 인정받는 사람이다. 반면 명성은 다른 사람들에게 보여주기 위해 힘쓰고 이름을 알리는 방법들로 얻어지는 것이다. 하지만. 현달은 항상 행복하고 만족스러우며 개인적인 성장의 길인 반면, 명성은 잠깐 기쁨과 즐거움을 줄 수 있는 것이지만 금새 사라짐을 깊이 생각해야 한다.

찰언관색
察言觀色

夫達也者, 質直而好義, 察言而觀色, 慮以下人. 在邦必達, 在家必達. 夫聞也者,
色取仁而行違, 居之不疑. 在邦必聞, 在家必聞.

부달야자는 질직이호의하며, 찰언이관색하여 려이하인하나니 재방필달하며
재가필달이니라. 부문야자는 색취인이행위오 거지불의하나니 재방필문하며
재가필문이니라.

현달(顯達)의 달(達)은 솔직하고 정직하며, 의리를 중요시하며 상대방의 말과 표정
을 살피며 자기 생각이 실행될 수 있는 경우 즉각적으로 실행한다. 또한, 자기를 항
상 겸손하게 유지하고, 자신을 낮추는 태도를 가진다. 이렇게 되면 자신의 집뿐만 아
니라 온 나라에서도 믿음을 받게 된다.

82일. 충고를 아끼지 말라

사람이 지켜야 할 다섯 가지 원칙인 오륜(五倫) 중에 '친구 관계'가 포함된 것은 큰 의미가 있다. 이는 친구와의 관계에서는 다른 사람에게 말하기 어려운 것을 솔직하게 털어놓을 수 있다는 의미이다. 그러나 세상은 상대성의 원리가 존재한다. 내가 상대방에게 어떻게 다가서느냐에 따라 상대방의 반응이 달라진다는 것을 의미한다. 친구 간에는 '충고'라는 소중한 요소가 존재한다. 이것은 두 사람 간의 관계를 원활하게 유지하는 윤활유와 같은 역할을 하므로 잘 활용해야 한다. 충고는 너무 많아도 모자라지 않도록 유지하는 것이 중요하다. 특히 충고할 때, 받아들일 여지를 고려해야 한다. 충고는 받는 사람과 하는 사람의 수용 능력에 따라 다양한 반응을 가져오기 때문이다. 충고해야 할 내용을 전달하지 않으면 친구를 잃게 되며, 지나친 충고는 잔소리처럼 들릴 수 있으며, 상대를 부정하는 느낌을 줄 수 있어 서로의 관계를 개선하지 못하고 오히려 긴장되거나 결국 관계가 끊어질 수 있다. 자주 충고하는 대신 필요한 시점에서 알아들을 수 있는 말로 지혜롭게 전달하는 것이 절대적으로 필요하다.

忠告善道

子貢問友. 子曰 忠告而善道之, 不可則止, 毋自辱焉.
자공문우한대 자왈 충곡이선도지하다가 불가즉지하야 무자욕언하라.

자공이 '친구 사귀는 방법'에 대해 물었다. 친구 간에는 착한 행동을 권하고 잘못된 점을 충고하여 상대방을 올바른 길로 인도해야 하지만, 만약 상대방이 그 충고를 받아들이지 않는다면 그만두어 자신까지 욕되지 않도록 조심해야 한다고 한다.

83일. 친구의 도움은 무엇일까

세상에는 다양한 사람들과의 만남이 존재한다. 우리는 누군가를 처음 보고, 다시 보고, 인사를 나누고, 대화를 나누면서 만남을 형성한다. 이러한 만남은 우리의 학문적인 성장에도 영향을 미칠 수 있다. 서로에게 도움을 주고 받으며 함께 발전하는 만남은 소중한 학습의 기회가 된다. 반면에 물질적인 이익만을 추구하는 만남은 한계가 있으며, 정신적인 교류를 통해 서로의 가치를 인정하고 존중하는 만남은 깊고 오래 가는 관계로 발전할 수 있다. 우리는 만남을 통해 자신의 장단점을 파악하고, 게으름을 극복하고, 동기부여를 얻을 수 있다. 그러므로 가능하다면 서로를 격려하고 이끌어주는 친구를 찾아보자. 그런 친구와의 관계는 신뢰와 존중이라는 깊은 감정의 바탕 위에서 형성된다. 자신의 덕목을 향상시키기 위해서는 서로가 함께 연마하는 과정이 필요하다. 그 과정에서 우리의 친구가 되어줄 수 있는 사람들이 있다면 그것은 행운이다.

君子 以文會友, 以友輔仁.
군자는 이문회우하고 이우보인이니라.

군자는 학문 연마를 함께함으로써 친구 만들고, 그 친구로부터 사랑(仁)을 실천하는
데 도움을 받는다.

84일. 가까운 사람이 기뻐해야!

'정치'란 가까이 있는 사람들이 만족하고, 멀리 있는 사람들이 찾아오도록 하는 것이다. 정치는 민심을 얻는 것이 급선무라고 말했다. 정치는 단지 정치적인 영역뿐만 아니라 항상 함께 지내는 가족과의 관계부터 시작하여 신뢰를 쌓아야 멀리 떨어진 사람들에게까지 영향력을 행사할 수 있다. 다른 사람의 마음을 얻기 위해서는 자신 스스로가 만족할 수 있도록 진심으로 노력해야 한다는 것이다. 갑작스럽게 멀리 있는 사람이 나를 좋다고 찾아올 가능성은 희박하므로 이것은 깊이 생각하여 깨달아 실천하는 것이 중요하다. 사람을 규합하는 최고의 방법은 가까이 있는 사람들이 참으로 좋아하게 하는 데 있고, 그 출발은 자기 마음을 속이지 않는데 부터 출발한다.

근열원래
近說遠來

近者説, 遠者來.
근자 열하며 원자 래니라.

85일. 어울림

화(和)란 어울림을 의미한다. 우리가 살고 있는 세상에는 다양한 물체와 그에 따른 다양한 소리와 특성이 존재한다. 각자가 자신의 목소리로 함께 울려 퍼져 어울림을 형성하는 것을 화라고 한다. 자연물은 물론이고, 사람들도 생각을 말로 표현하는 존재로서 같은 사물이나 조건에 대해서도 다양한 생각을 가지게 된다.

동(同)은 함께하는 것을 의미한다. 이는 서로의 내면적인 생각이 같더라도 드러내지 않은 채 함께하는 것이다. 화와 동, 이 두 가지 요소는 서로 필요하며 긍정적인 의미를 지니게 된다. 그러나 인생에서는 명확한 구별이 있으니, 진정한 어울림의 길이 어떤 것인지, 어떻게 해야만 화목하고 화평한 세상으로 거듭 날 지를 깊이 생각해야 한다.

투명한 그릇에 어떤 색깔의 염료를 넣느냐에 따라 보이는 모습이 달라지듯이, 생각의 차이가 말과 행동으로 드러날 때, 다양한 인생의 실체가 드러나게 된다. 각자가 천부적으로 타고난 인과 예지의 본성을 기반으로 말하고 행동한다는 것은 누구나 인정하고 공감할 수 있는 근원적인 원칙 및 기준이다.

의(義)를 숭상하는 모임은 언제나 기준과 기반을 갖추고 있어 어긋나거나 혼란스러워지는 일이 없으며, 누구든 함께 어울릴 수 있지만 모임 자체는 시비의 대상이 되지 않는다. 이(利)를 중시하는 모임은 이익을 위해 아첨하고 친한 척하는 모임으로, 각자 자신의 이익을 계산하다 보니 오래가지 못하고 서로 다른 계산법을 가지게 되어 겉으로는 같은 집단이나 무리로 보여도 시빗거리가 항상 존재하며 분열과 분산이 된다.

주변의 아카시아꽃을 예로 들어보면, 꽃이 피면 벌들이 향기를 찾아와서 모여들지만, 꽃이 시들면 뒤돌아보지 않고 사라져 버리듯, 인간의 상황에서도 동일한 것이다. 이득을 추구하는 집단은 이득이 발생하지 않으면 금세 흩어져 사라져 버리며, 모임의 중심과 의미가 사라진다.

하지만 사람들이 서로 좋아서 모여들면 옳고 그름을 판단할 수 있는 의(義)가 존재하여 오랫동안 지속하며 누구든 공감할 수 있는 멋진 구심점(構心点)을 갖게 된다. 어울린다는 공통점을 지닌 말이지만, 엄연히 그 속에 흐르고 있는 의와 욕, 의리와 이해타산의 갈림이 있으니 깊이 생각할 일이다.

和而不同
화이부동하라.

86일. 교만하지 마라

이치(理致)는 나이나 순서와 상관없이 올바르게 처리하는 것을 의미한다. 군자는 이치를 따르는 태도가 몸에 스며들어 있으며, 이를 학문적인 목표로 삼고 실천함으로써 자신의 사명으로 여긴다. 그 결과로 군자는 항상 편안한 마음으로 몸과 마음을 가다듬게 된다. 반면 소인배는 욕심을 품고 사물에 접근하며 일을 처리하는 경향이 있다. 그들은 항상 편안한 마음을 갖지 못하고, 더 많은 것, 높은 것, 다른 사람보다 앞서는 것을 추구한다. 그러나 이를 얻으면 교만해지고 얻지 못할 때는 비굴한 태도와 아부를 보인다. 따라서 소인과 군자의 차이점은 분명히 드러난다.

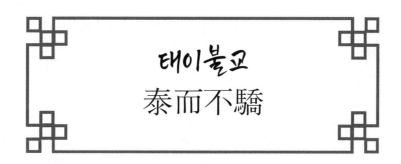

태이불교(泰而不驕)하라.
태연(泰然)하되 교만(驕慢)하지 말라.

87일. 수치심(羞恥心)이란!

치세(治世)란 세상에서 능력 있는 사람들이 각자의 자리에서 능력을 발휘하고 그 가치를 인정받는 사회를 의미한다. 이때, 능력 있는 사람들은 분명한 일과 할 수 있는 자리가 있어서 자리만 지키며 나태해지는 것은 부끄러운 일이다. 그러나 난세(亂世)는 능력 있는 사람들이 경시당하고 제 자리가 없어지며, 할 일이 없어지면서 무능력(無能力)자들이 아부하면서도 고액의 급여를 받는 세상을 말한다. 이럴 때는 자신의 진심을 지켜가며 기회를 기다리는 것이 옳은 일이며, 구차하게 벼슬을 구하는 것은 부끄러운 일이다.

방무도곡
邦無道穀

憲問恥. 子曰 邦有道, 穀, 邦無道, 穀, 恥也.
헌이 문치한대. 자왈 방유도에 곡하며, 방무도에 곡이 치야니라.

원헌이 "수치스러움"에 관해 묻자, 공자 답변에 '치세에 자기의 능력을 발휘하여 정사를 펼치면서 녹을 받아 먹고, 난세에 자기의 능력을 발휘도 못하면서 자리만 지키며 녹을 많이 받아 먹는 것은 부끄러운 일이다.'

88일. 어진 사람의 용기

덕을 갖춘 사람은 항상 훌륭한 말을 하며, 그 말의 내용도 항상 신뢰성이 있고 힘이 있다. 그러나 말을 잘하는 사람이라고 해서 반드시 덕이 갖추어진 것은 아니다. 참된 덕을 품고 있는 사람은 항상 의(義)에 기반을 두고 있으므로 용기가 발휘되는 반면, 용맹스러운 사람이 반드시 참된 덕을 갖추고 있다고는 할 수 없다. 용감한 사람들은 '혈기지용(血氣之勇)' 즉, 대담한 행동으로 나타나 일반인의 눈엔 모든 것을 다 갖춘 훌륭한 사람으로 보이게 된다. 진정한 용기와 혈기지용을 구분할 필요가 있다.

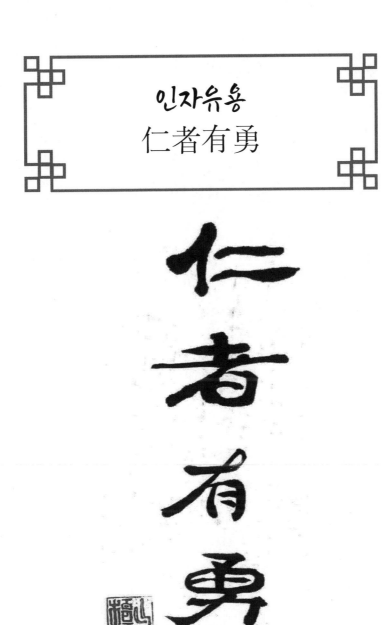

인자유용
仁者有勇

有德者 必有言, 有言者 不必有德. 仁者 必有勇, 勇者 不必有仁.
유덕자는 필유언이어니와 유언자는 불필유덕이니라.
인자는 필유용이어니와 용자는 불필유인이니라.

89일. 평생 약속

자신에게 이로움이 주어질 때는 의로움을 생각하여 구차히 받지 말고, 나라의 운명이 좌지우지 될 상황에서는 목숨을 내 걸고라도 적극적으로 해결하려 하라. 또한, 오래된 약속은 평생 잊지 말아야 한다.

삼십여 년 동안 스승의 가르침을 올곧게 따르려 노력해 왔다. 스승님께서는 항상 "구요불망평생지언(久要不忘平生之言)" 즉, 처음 먹은 마음이 변하지 않는 것을 칭찬해 주셨다. 지금도 스승님을 생각하면 가슴이 뭉클해지며 이 구절이 떠오른다. 저는 꼭 그 약속인 이 학문으로 내 삶의 책임을 다할 것이다. 성현의 가르침은 모두 틀림없이 옳았으나, 그 모든 것들을 실천하기에는 너무 큰 욕심일 수 있다. 그러나 한 구절이라도 깊게 새기고 실천해보는 것은 제 인생에서 가장 크고 보람차며 행복으로 나아가는 길이다.

久要不忘

見利思義, 見危授命, 久要不忘平生之言.
견리사의하며 견위수명하며 구요에 불망평생지언하라.

90일. 바르게 하라. 속임수 쓰지 말고

하늘은 우리 눈에 보이지 않지만, 모든 것을 감시하고 있다. 그 하늘은 사람들과 그들의 자손들이 이어가는 역사이다. 춘추시대를 개척한 인물은 제환공(齊桓公)이었다. 이후 천하를 정복한 지배자는 진 문공(晉文公)으로 당시에는 그들을 정확히 평가하기 어려웠지만, 이 두 제후가 춘추시대의 혼란을 해소하고 인륜을 중요시했다는 것은 확실하다. 그러나 이 내용을 분석하여 평가한 공자는 "제환공은 올바르게 처리하고 속임수를 쓰지 않았으며, 진문공은 속임수를 썼지만 올바르게 처리하지 못했다"라고 말했다.

어떤 정권이든 진행 중일 때에는 다양한 평가를 하기 어렵지만, 그 정권이 종료되고 다음 정권, 그다음 정권으로 넘어갈 때야 평판이 드러나게 된다. 과연 우리는 국민과 하늘을 속이면서 정치를 한다고 할 것인가, 아니면 온전하고 투명한 정치로 하늘이 부끄럽지 않고 사람도 부끄럽지 않으며 역사에 부끄럽지 않은 기록으로 남길 것인가. 이것은 깊이 생각해야 할 문제이다.

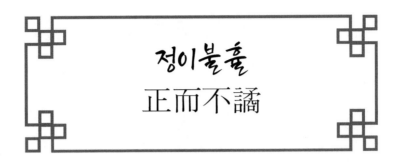

正而不謫
정이불휼하라.
바르게 하되 속임이 없어야 한다.

91일. 자기 수양(修養)

세상에 태어나서 할 수 있는 가장 큰 일은 자신을 닦는 수양(修養)과 세상을 다스리는 지도자의 역할이다. 큰 나무 아래에는 그늘이 있고, 그 아래에는 많은 사람이 쉴 수 있다. 마찬가지로 자기를 닦아 큰 사람이 되면, 주변에 있는 많은 사람도 그의 영향을 받게 된다. 이것은 공자의 교훈 중에서도 가장 중요한 부분이다. "자기를 닦아 세상 모든 사람을 편안하게 하라!" 같은 크기의 나무들은 서로의 존재를 알아보지 못하듯이, 사람들도 마찬가지이다. 하지만 크게 자기를 닦은 위대한 사람일수록 많은 사람이 그의 보호 아래에서 안식할 수 있다. 따라서 지도자는 조금의 잘못이 있어도 손가락질 대상이 되는 것이다.

하지만 이렇다고 해서 반드시 많은 사람을 편안하게 하는 것이 학문(學問)의 목적일 필요는 없다. 누구든 자신의 덕(德)을 닦아 주변 사람들이 좋아하고 존경하며 편안함을 느낄 수 있도록 하는 삶은 행복하고 보람이 있는 삶이다. 가장 중요한 것은 자신의 수양과 성장이 우선되어야 한다는 점이다.

수기안인
脩己安人

脩己以安人
수기이안인하라.

92일. 실수란!

말을 해줘야 할 만한 사람에게 말하지 않으면 그 사람을 잃을 수 있고, 말하지 말아야 할 사람에게 필요 없는 말을 하면 실수를 가져올 수 있다는 것이다. 지혜로운 사람은 사람을 잃지 않으며, 말로 인한 실수를 범하지도 않는다.

삶을 살다 보면 "실수를 했다"라는 말을 자주 듣게 된다. 이것은 사람을 잃을 수도 있고, 말을 잘못하거나 행동을 엇나가게 할 수도 있다. 특히 아끼는 사람에게 그들이 원치 않은 충고를 해주는 일도 있을 수 있다. 그러나 상황에 따라 적절한 충고는 그 사람을 잃지 않는 방법이다. 때로는 한 마디로 상황을 정리할 수 있는 일도 있다. 하지만 여러 번 하다 보면 듣는 사람으로서는 '잔소리'처럼 느껴지므로 그 사람의 감정만 상하게 되어 오히려 문제가 될 수 있다. 마찬가지로 말을 하지 말아야 할 자리와 말해야 할 자리를 구별하는 것이 지혜로운 삶이 아닐까 생각된다.

可與言而不與言, 失人, 不可與言而與之言, 失言. 知者不失人, 亦不失言.
가여언이불여지언이면 실인이오, 불가여언이여지언이면 실언이니, 지자는
불실인하며 역불실언 이니라.

말을 건낼만한데 말하지 않으면 사람을 잃고,

말을 건낼 수 없는데 그에게 말을 건내는 것은 말 실수가 된다.

지혜로운 사람은 사람을 잃지 않고,

또한 말 실수도 하지 않는다.

93일. 연장을 잘 고르라

어떤 기술자든 그 일을 잘 수행하기 위해서는 먼저 사용하는 도구를 잘 다듬는 것이 중요하다. 마찬가지로 자신이 사는 곳에서 훌륭한 사람들을 스승으로 섬기고 현명한 사람들과 교류하는 것은 성공으로 가는 지름길이다. 기술자가 자기가 써야할 연장을 잘 다듬듯, 나기 삶에 도움이 될 귀한 분들과의 교류를 소중히 여겨야 한다.

우리는 종종 '연장 탓'이라는 말을 듣는다. 처음에는 핑계처럼 들릴 수 있지만, 실제로 일을 하면서 좋은 결과를 얻으려면, 좋은 연장을 썼는지 못 썼는지, 그 연장이 해당 일에 적합한지에 따라 성과가 달라진다. 따라서 우리가 훌륭한 일을 하기 위해서는 자신의 주변에 훌륭한 사람들과 교류하고, 스승의 가르침을 받아야 한다. 이 말은 친구 관계를 신중하게 생각해야 한다는 큰 의미를 담고 있고, 우리가 목표를 달성하기 위해 돕고 가르침을 줄 수 있는 사람들과 만나야만 최종적인 성공까지 이끌어 갈 수 있다는 것이다.

선리기기
先利其器

工欲其事, 必先利其器. 居是邦也, 事其大夫之賢者, 友其士之仁者.
공욕선기사인댄 필선리기기니 거시방야하야 사기대부지현자하며 우기사지
인자니라.

기술자가 그 일을 잘 하려면, 먼저 그 기구를 날카롭게 다듬어야 한다. 이 지방에 살
면서 훌륭한 사람을 존경하며 따르고, 훌륭한 벗을 사귀어야 한다.

94일. 여론(輿論)에 휩쓸리지 말자

여론은 모두 다 맞는 것이 아닙니다. 오직 어진(어질고 바른) 사람만이 다른 사람을 좋아하거나 미워할 수 있는 법이다. 요즘 세상에서는 여론이 매우 중요시되는 경향이 있다. 자신의 주관을 가지고 세상을 살기는 어려운 일이다. 한 사람의 주장이 옆 사람의 마음을 흔들며, 두 사람의 생각이 많은 이의 마음을 유혹한다. 이러한 세상에서 제 생각을 명확하게 표현하는 것은 많은 비난과 비판의 대상이 된다. 이를 싫어하거나 좋아하지 않더라도 다수에 따르기는 쉬운 일이다. 그러나 그 결과로는 혼자서 감당하기 어려운 강력한 압박과 힘이 도사리게 된다. 때로는 여론이 옳을 수 있지만, 많은 경우에 다수의 욕심에 압도되곤 한다. 조금만 방심하면 거센 물결에 휩쓸리듯, 여론 속으로 몰리지 않기 위해 깨어있어야 한다.

衆惡之, 必察焉, 衆好之, 必察焉.
중오지라도 필찰언하며 중호지라도 필찰언이니라.

많은 사람이 미워한다고 해도 자세히 살펴보아야 하며, 모든 사람이 좋아한다고 해
도 자세히 살펴봐야 한다.

95일. 함께할 수 없는 사람

추구하는 길이 다르다면 함께 갈 수 없다. 하늘길, 바닷길, 인도, 차도 등 다양한 길이 존재한다. 높은 곳에서 내려다보면 오는 차, 가는 차, 큰 차와 작은 차 등 수많은 차가 길을 오간다. 실제로 보이는 길조차도 복잡하고 얽혀있기 때문에 보이지 않는 길에 대해서 말할 필요조차 없다. 사람마다 자신의 추구에 따라 다른 길을 선택한다. 크게 선과 악, 사(邪)와 정(正), 왕래로 구분할 수 있겠지만, 같은 길에 서 있다고 해서 같은 목적지에 도달하는 경우는 드물다. 그나마 일부분이라도 일치하는 생각을 하는 사람들이 모여있는 것은 의미가 있다. 그러나 의도와 방향성 그리고 방법이 다른 사람과는 큰일을 도모하기 어렵다. 분명 어려움이 따르게 된다. 손익을 따짐은 인생에서 중요한 요소일 수 있지만, 그것만으로 함께 할 수 있는 일은 드물기 때문이다.
(선악(善惡)과 사정(邪正) 다름을 알아야 한다.)

불상위모
不相爲謀

道不同, 不相爲謀.
도부동이면 불상위모니라.

96일. 모든 것을 한 사람한테 맡기지 말자

오랫동안 친한 친구는 큰 잘못이 없는 한 버리지 말아야 한다. 친구 관계는 오랜 시간과 교감으로 성립하며, 이어져야만 깊고 진한 관계가 형성된다. 대체로 인류에 해를 끼치거나 반인류적인 행동을 하지 않는 한, 버리지 말아야 한다. 또한, 사람마다 장단점이 존재하며, 잘하는 분야와 미숙한 분야가 있다. 한 분야를 잘하면 다른 분야에서는 미숙할 수 있으며, 한 가지 능력을 갖춘다고 모든 것이 다 갖춰지진 않기 때문이다. 일반적으로는 각자의 능력과 역할에 따라 일을 맡기지만, 상위자의 시선에 따라 한 사람에게 모든 일을 맡길 수도 있으며, 모든 일을 완벽하게 수행할 것을 요구한다. 그러나 모든 사람은 자신의 역할이 있으며, 그 역할을 충실히 수행하는 것이 중요하다. 한 분야에서 뛰어나다고 해서 모든 것을 다 잘할 수 있는 것은 아니니, 이러한 사실을 간과하지 않도록 주의해야 한다.

故舊無大故, 則不棄也. 無求備於一人!
고구무대고어든 즉불기야하고, 무구비어일인하라.

97일. 실력을 갖춰라

벼슬길은 학문을 실천하는 곳이며, 학문은 벼슬을 하기 위한 기초공사라 할 수 있다. 기초가 부족하면 큰 건물이나 튼튼한 건물을 지을 수 없듯이, 세상에서 인정받을 만큼의 기초실력을 갖춘 뒤에 공직에 나서야 한다. 만약 공직에 있다 하더라도, 자신이 배운 것을 충실히 펼칠 만큼의 능력을 갖추지 못한다면, 더 큰 노력이 필요하니, 그렇지 않으면 업무 처리 미숙이나 미래를 내다보지 못하는 행동을 할 수 있으며, 성장 가능성도 떨어지게 된다.

실력을 갖춘 뒤 공직에 입문하더라도, 배운 것에 만족하지 않고 지속해서 노력하고 발전해나가야 한다. 승진을 위한 배움이 아니라 내면을 채워주고, 더욱 실력 있는 인재가 되어야 한다는 자세로 끊임없이 노력해야 한다.

학우즉사
學優則仕

仕而優則學, 學而優則仕.
사이우즉학하고 학이무즉사니라.

공직에 있으면서 다른 직무를 수행하고 여유가 있다면 부족한 부분을 보충하며, 충분한 학문과 식견을 갖춘 후에 세상에 나서야 한다.

우리가 함께 가야할 길

98일. 교묘(巧妙)한 말솜씨

말은 서로의 생각을 표현하고 공감을 얻기 위한 수단이다. 그저 솔직하게 말하면 되는데, 겉으로 듣는 사람의 입맛에 맞춰 교묘하게 꾸미고 장식하는 사람은 진실성이 떨어져서 믿을 수 없다. 내면에서는 반대로 생각하면서 겉으로는 그렇게 생각하는 척하며 가식적인 웃음을 짓는 사람 역시 겉과 속이 달라서 신뢰할 수 없다. 우주의 흐름은 진실 그 자체이다. 조금도 변하지 않고 오직 진실만이 존재한다. 어진(어질고 바른) 사람은 이를 닮아가려고 노력하는 사람이며, 진실을 실천하기 위해 노력하는 사람이다. 따라서 겉과 속이 다른 사람을 어떻게 믿고 따를 수 있겠는가. 나 자신도 진솔한 삶의 살아야 하지만, 남을 볼 때 교묘한 말 돌리기와 영악한 표정을 살펴 처신하는 것도 중요한 일이다.

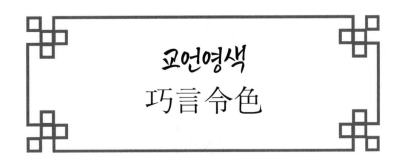

巧言令色, 鮮矣仁!
교언영색이, 선의인이라.

교묘한 말 돌리기와 영악한 표정을 지닌 사람 중에서 어진 사람은 드물다는 것을 알
수 있다.

99일. 약속(約束)을 지켜라

약속은 여러 가지 형태로 존재한다. 상대방과의 약속, 자신과의 약속, 심지어 하늘에 대한 약속까지도 다양한다. 그러나 이를 실천하느냐 아니냐에 따라 사람의 평판이 결정된다. 실행 가능한 약속을 하고 그것을 실천할 수 있다면 신뢰할 만한 사람이 되겠지만, 터무니없는 약속을 한다면 믿음직하지 못한 사람으로 인식될 것이다. 믿을 수 있는 사람들을 의지하고, 자신과의 약속을 철저히 지켜가며 공손한 태도로 다른 사람들을 대하는 것은 부끄러움과 욕됨으로부터 자연스럽게 멀리 떨어지는 방법이다.

信近於義, 言可復也. 恭近於禮, 遠恥辱也. 因不失其親, 亦可宗也.
신근어의면, 언가복야며, 공근어례면, 원치욕야니,
인불실기친이면, 역가종야니라.

유자(有若) 말씀에 따르면, 약속을 의리에 맞게 지키면 그 약속을 지킬 수 있으며, 공손함이 예의에 어긋나지 않으면 부끄러움과 비난으로부터 멀리 떨어질 수 있다는 것이다. 신뢰할 만한 사람과 친하게 지내면 관계를 오랫동안 유지할 수 있다.

100일. 가난함을 넘어서라

동물의 뼈를 갈아 유용한 도구로 만들기 위해서는 먼저 자르고, 잘린 부분을 매끄럽게 갈아낸 다음 손에 쥐기 편하게 만들어야 한다. 마찬가지로 옥석을 가공하여 팔찌, 귀고리, 반지 등의 장신구로 만들 때는 밑그림을 그리고 거기에 맞추어 파내며 매끄럽게 간다는 작업인 탁마(琢磨)의 과정이 필요하다. 이 작업은 여러 번 반복적으로 수행되어야 하며 지속적인 노력과 흠잡을 데 없는 완벽함을 위해 계속해서 살펴보고 갈아내는 작업이다.

작은 성공에 망설이지 말고, 한 걸음 더 도약하라. 바라는 것은 누구에게나 쉽게 얻어지는 것이 아니다. 자신의 목표를 설정하고 형태를 만들며 다듬어 나감으로써 내면적인 강인함과 외적인 부드러움을 겸비할 때, 자신도 만족하고 다른 사람들도 좋아한다. 작은 뿔을 다듬는 일에서부터 나무를 조각하여 멋진 작품을 만드는 과정에서도 마찬가지이다. 인생에서도 그렇다.

'나이 40이 되면, 자기 얼굴을 책임져야 한다'라는 말은 위대한 작품의 형태가 외부로 드러나듯이 삶의 모습이 얼굴에 투영된다는 의미이다. 내면적으로 충만해질 때 그 문양이 외부로 드러나게 된다. 이 모든 과정을 간결하게 표현하면 절차탁마(切磋琢磨)라고 할 수 있다.

빈락호예
貧樂好禮

子貢曰, 貧而無諂, 富而無驕, 何如.
可也, 未若貧而樂, 富而好禮者也.
자공이 왈, 빈이무첨하며, 부이무교호대, 하여하니잇고.
가야나, 미약빈이락하며, 부이호례자야니라.

공자의 제자 자공이 질문을 했다. 가난하지만 아첨하는 마음이 없고, 부유해도 교만한 태도가 없는 것은 어떠한가요. 공자의 답변에 따르면, 그것은 좋은 것이다. 그러나 가난하더라도 자신이 추구하는 도를 지키며 기쁨을 느끼고, 부유하더라도 그 부를 잊고 예(禮)를 중요시하는 것이 더욱 좋다고 한다. 이 말은 자공이 이미 실천하고 있는 모습을 칭찬받기 위해 질문을 한 것이다. 이를 통해 공자는 자공에게 한발 더 나아갈 수 있도록 채찍질을 하는 말이다.

101일. 덕치(德治)란!

법치를 강조할수록 법의 허술함이 드러나며, 그것을 어기면서도 부끄러움을 모르고 같은 잘못을 반복하면 혼란한 세상이 형성된다. 인간다움이라는 근본적인 가치를 기반으로 사람들을 이끄는 동시에 질서의 필요성과 편리함에 대한 이해를 심어주면 좋은 세상으로 나아갈 수 있다. 그럴 때 사람들은 자기 잘못에 대해 부끄러움을 느낀다. 이와 함께 사회적인 기틀이 서서히 정비되고 서로를 아끼는 삶의 일부로 변화하여 좋은 세상이 만들어진다.

어느 시대나 법에 의존하려는 노력이 있다. 하지만 요즘과 같이 의원들의 수가 많아지면서 그들의 잘못에 대한 국민 전체의 비판과 통탄 없는 상황은 우연의 일치가 아니라 덕으로 세상을 이끌어가려는 원칙적인 가치가 상실된 결과이다. 자신의 행동에 대해 돌아보며 부끄러운 감정 없이 옳게 행동하는 세상, 잘못된 점도 즉시 개선되는 세상이 그리워진다.

道之以德, 齊之以禮, 有恥且格
도지이덕하고, 제지이례면, 유치차격이니라.

덕으로 사람들을 인도하고 예로써 다스린다면,
부끄러움을 알고 교화될 수 있을 것이다.

102일. 온고지신(溫故知新)이란

'온고지신(溫故知新)'은 많은 사람이 자주 사용하는 구절이다. 온고(溫故)를 이렇게도 설명한다. 시루떡을 할 때, 한케를 먼저 펼쳐 놓고 김을 쐬어 완전히 익힌다음, 또 한케를 위에 펼치고 또 김을 쐬어 익히며, 이런 작업을 여러번 하여 한 시루의 떡을 만들어간다. 이렇듯 조금식 조금씩 완전하게 익힌 다음에 그 다음을 진행한다는 것이다. 이 처럼 다양한 해석이 가능하지만, 공부하는 처지에서 이해해보도록 합니다. 어제 배운 원리를 완전히 이해하고 깨달은 뒤에 그 원리를 기반으로 문제를 해결할 수 있다. 단기간에 차원이 높은 것을 바로 배우려는 것은 욕심이며 성과를 기대하기 어렵다. 모든 나라에서 역사를 기록하는 근본적인 이유는 과거 우리 선배들의 삶을 통해 미래를 개척하고 발전시키려는 방법과 원칙을 찾기 위함이다. 역사는 현실적인 삶을 기록하는 것이 중요하여 다른 견해를 부착하면 가치가 퇴색되어 거울의 역할을 할 수 없기 때문이다. 과거를 제대로 배워나가면 자연스럽게 새로운 세계에 대처할 방법이 보이며, 과거를 돌아보는 것은 미래를 보장하는 가장 짧은 길이다.

온고지신
溫故知新

溫故而知新, 可以爲師矣.
온고이지신이면, 가이위사의니라.

예전에 배운 내용을 충분히 익히고 연구하여 그것을 토대로 새로운 지식을 확장해 나간다면 남들의 가르침이 될 만한 사람이 될 수 있다.

103일. 생각하면서 배우자

배움의 궁극적인 목적은 우리 삶에 써 먹는 것이다. 무엇을 배우느냐고 물으면 답하기 어렵다고 한다. 여기서 나는 이치(理致)를 배우는 것을 강조한다. 이치는 근원적인 원리를 의미하며, 글의 원리를 문리(文理), 하늘의 원리를 천리(天理), 지리(地理), 물리(物理), 수리(數理)와 같이 다양한 분야에서 이해할 수 있다. 사람의 이치인 도리(道理)도 그중에 속한다.

배운 것을 내 것으로 만들어 가는 과정에서 질문하고, 그 답이 왜 그렇게 되었는지 생각하는 과정이 이어진다. 그 결과로 깨우침과 인식의 결실을 맛볼 수 있다. 깨닫게 되면 어디서든 활용할 수 있는 지혜로 발휘된다.

무엇을 배우는지도 모르면서 생각하는 것은 기초공사 없이 고층빌딩을 세우는 것과 같아서 돌아설 때 아무것도 남지 않는다. 반면에 생각만 하면서도 배우지 않으면, 겉으로는 배운다고 말하지만, 실질적인 내용은 부족하여 위태로워진다.

결론적으로 무엇을 배우며 왜 그런지를 탐구하고, 그 답이 어떻게 도출되었는지 심도 있게 생각할 때, 우리는 해당 분야의 원칙과 이치를 터득하여 실제로 활용할 수 있다.

學而不思則罔, 思而不學則殆.
학이불사즉망하고, 사이불학즉태니라.

"생각 없이 배우면 남는 게 없고,
생각만 하고 배우지 않으면 위태롭다."

104일. 질서 없는 세상은 있을 수 없다

요즘에는 예의를 언급하면 진부(陳腐)하고 고루한 것으로 여겨지며, 음악을 말하고 연주하는 사람은 고상한 취미나 멋진 삶으로 여긴다. 그러나 모든 사람은 인의예지라는 네 가지 본성을 기반으로 사회적 구실을 한다. 기반이 흔들린 사람은 어떤 방식으로든 포장하여 일하더라도 근간이 약해져 쉽게 붕괴될 수 있다. 예의가 무너졌다고 말한다 해도, 뛰어난 사람인지 아닌지는 몇 마디만 건네도 금방 알아볼 수 있다. 예라는 용어를 사용하지 않아도 누구나 갖추어야 할 소중한 몸짓이며, 한 마디라도 본성에서 우러나오는 진심 어린 말일 때에야 다른 사람의 마음을 움직일 수 있다.

과거와 현재 모든 시대에 예와 음악을 즐기며 겉으론 찬사만 늘어 놓는 사람이 많다. 하지만 인간미를 갖춘 다음에야 행동과 말이 상호작용하여 서로 이해되는 세상이 형성될 것이다.

인이불인
人而不仁

人而不仁, 如禮何. 人而不仁, 如樂何.
인이불인이면, 여례에 하며. 인이불인이면, 여악에 하오.

예를 따지고 음악을 말할 때, 사람의 근본적인 인자한 성품을 갖추지 못하면 어떤 곳에서도 통할 수 없다.

105일. 되돌릴 수 없다

시의 적절하게 행동하는 것은 어려운 일이다. 성사(成事)란 이미 이루어진 일을 의미하며, 수사(遂事)란 형세가 이미 뒤바뀌어 돌릴 수 없는 상황의 일을 말한다. 기왕(既往)은 이미 지나간 일을 의미한다. 저수지에 고인 물은 그 앞날을 예측할 수 없듯이, 마음속에 있는 생각은 외부로 드러내기 전까지는 아무도 알지 못한다. 수로를 따라 밖으로 나오면서 공업용수로, 식수로, 농업용수로 사용되는 것처럼, 사람의 입에서 나오는 말 역시 덕을 쌓거나 한꺼번에 무너트리는 역할을 할 수 있다. 엎질러진 물은 주워 담을 수 없듯이, 이미 한 번 표출된 말은 되돌릴 수도 주워 담을 수도 없는 일이다. 그 말에 따라 잘못된 결과가 나타났다면 탓하는 것도 소용이 없고, 그 말에 따라 진행 중인 상황에서 멈추거나 원상태로 되돌릴 수도 없다. 시간이 흘러 모든 것이 지나간 후에는 이야기할 필요가 없으므로 말은 정말 조심스럽게 해야 한다.

수사불간
遂事不諫

成事不說, 遂事不諫, 既往不咎.
성사라 불설하며, 수사라 불간하며, 기왕이라 불구니라.

이미 지나간 일에 대해 말해도 소용이 없고, 형세가 이미 기울어져 있다면 충고해도
소용이 없으며, 이미 지난 일을 탓할 수 없다.

106일. 진선미(眞善美)!

인류역사상 가장 닮고 싶은 왕조를 삼대, 즉 하은주(夏殷周)를 평가하는 말 중에 진선미라는 말이 나오는데, 선의 최고 경지는 어디에 있을까. 찾아봐도 아름다운 부분이 하나도 없고, 흠을 찾으려 해도 그 어떤 결점이나 약점도 없는 곳이 아닐까요. 요순(堯舜)시대는 평화로운 대표적인 시기로 칭송되며, 순임금은 피 한 방울 흘리지 않고 태평성대의 후계자로서 만백성들에게 칭송받았던 음악 '소(韶)'가 나왔다. 은나라 말기에 혼란으로 인해 문왕(文王) 같은 성인조차 유리 옥에 갇혔으며, 그의 아들 무왕(武王)은 아버지의 위패를 앞세워 멸망하는 은나라를 파괴하고 '주(周)' 나라를 건설했다. 이 때 백성들을 위로하고 새로운 세상을 열어갈 의지로 '무(武)'라는 음악을 만들었다. 이에 공자는 순임금의 음악 '소'는 진미와 지선이며, 무왕의 음악 '무'는 진미(盡美)하지만 지극한 선으로까지 이르지 못한다고 평가했다.

이것은 사람들이 생명을 소중히 여기지 못한 점에 대한 아쉬움이 드러난 것으로 볼 수 있다. 어디에서든 내세울 수 있으며 언제든 펼칠 수 있는 부끄럽거나 결점이 없는 상태를 미와 선의 최상위 경지인 진미(盡美)와 지선(至善)으로 일컬었으니, 깊이 생각할 가치가 있다.

盡美矣, 又盡善也.
진미의요, 우진선야로다.

미의 지극한 경지와 선의 지극한 경지를 겸비하라는 말씀이다.

107일. 인(仁)을 집으로 삼고!

우주의 본질은 무엇일까요. 나는 그것을 강력한 생명력이라 생각한다. 이러한 생명력을 인(仁)으로 이해하는 것은 성인(聖人)이라 할 수 있다. 성인은 인과 하나가 되어 자신 안에 그대로 살아가는 사람이다. 언제나 자신의 삶을 편안하게 여기며, 모든 사람이 그 안에서 살기를 바라고 있다. 성인 다음으로 현인(賢人)이 있다. 현인은 분명히 인의 세계가 존재함을 알고 있으며, 그렇게 살아가는 것이 자신과 다른 이들에게 혜택이 된다고 믿으면서 실천하는 사람이다.

생명의 가치는 누구나 인정할 수 있는 것이다. 모든 생명을 하나로 여기는 인자(仁者)의 삶은 모든 이의 존경을 받으며, 그 가치를 소중히 여겨 잘 보전하려고 노력하는 사람을 이인(利仁)이라고 한다. 논어(論語)에는 인자(仁者)와 지자(知者)로 구분하여 설명하고 있지만, 우주 그 자체의 마음으로 살아가는 분과 우주의 위대함을 알아차리고 그렇게 살아가려고 노력하는 사람들을 우리 삶의 본보기로 삼아야 한다.

仁者安仁, 知者利仁
인자는 안인하고, 지자는 이인이니라

어진 사람은 인(仁)의 세계를 편안하게 여기고,

지혜로운 사람은 인(仁)의 실천을 이롭게 여긴다는 말이다.

108일. 명실상부(名實相符)!

공자의 가르침은 군자다운 삶을 요구한다.

어떤 사람을 군자라고 할까요.
매일 아침 일어나면 어떻게 살아갈지, 어느 선택이 더 큰 이익인지 고민하는 삶은 평범한 사람의 삶이다. 부귀와 가난에 흔들리지 않고 자기 일을 조용히 해 나가는 사람이 군자다운 삶이다. 사소한 이익에 본심이 흔들리고 남의 부유함에 시기하는 삶은 군자다운 삶과 거리가 있다.
세속에 물들어 부귀를 부러워 하고 가난에 흔들리는 사람을 어찌 군자라 할 수 있겠는가. 우리는 뛰어넘어 보아야 한다.
분명히 다른 형태의 삶도 있으니, 흔들림 없이 앞으로 나아가야 한다.

오늘도 밝은 해는 동쪽에서 떠오르며, 우주의 무한한 힘을 믿고 용기를 갖추어 살아나가야 한다.

君子去仁, 惡乎成名.
군자거인이면, 오호성명이리오

군자라고 말하면서 인덕을 버리고 실천하지 않는다면 어떻게 군자라 할 수 있겠습니까.

109일. 덕(德)스러운 삶!

사람은 몸을 기르는 음식과 마음을 기르는 덕으로 살아간다.

음식이 부족하면 몸이 상하고, 덕이 부족하면 인간다운 삶을 살지 못한다는 것을 알려준다.

덕을 높이기 위해서는 어떻게 해야 할까.

마음 속에 두 가지를 가지고 살아가면 좋겠다.

첫째로, 언제 어디서든 자신에게 최선을 다하는 마음.

둘째로, 나와 남과의 관계에서 최선을 다하는 마음.

이를 실천한다면 훌륭한 사람으로서 덕이 충만해진다.

하지만 갈림길에서 선택의 순간이 기다리고 있다.

자신에 대한 신뢰가 부족하면 망설임과 의구심이 든다.

의혹은 인간의 욕심으로 천명(天命)에 반하는 욕망이 표출되는 순간이다. 예를 들어 어떤 사람을 깊이 사랑할 때엔 그의 평안과 장수를 기원하다가도 미워질 땐, 그 사람이 삽시간에 사라지기를 바라는 마음이 바로 의혹이다. 이는 감정의 표출로 모든 사람이 가지고 있는 것이다. 하지만 생명의 길고 짧음은 하늘의 결정 사항으로 인간의 감정으로 함부로 조작할 수 없는 영역이다.

모든 사람은 내면에 깊은 질문을 제기하며 의혹에 휩싸일 수 없는 훌륭한 인격체가 되기를 꿈꾸곤 한다. 이러한 문제를 해결하려면, 이치(理致)를 명확히 밝혀 의혹이 생기지 않도록 세상을 관찰하고 실천할 방법들을 찾아내며 깊게 생각하는 자세가 필요하다.

問崇德辨惑
문숭덕변혹

덕을 높이고 의혹을 분별하는 방법을 물었다.

110일. 도(道)를 깨닫기만 하면!

이 세상 그 누군들 자기 생명을 소홀히 다룰까. 도란 도대체 무엇일까. 작은 길에서 부터 크게는 우주의 운행 법칙이 바로 도(道)이다. 성인은 그 길을 따르며, 사람들이 그 길을 걷도록 일깨우시기 위해 평생을 바쳤다. 그러나 어리석은 사람들은 비록 성인이 일깨워주려고 해도 단호히 거절하기도 하며, 말하는 앞에서는 크게 소리치지만 실천하지 않고 뒷담을 일삼는다. 이러한 사람들을 자포자기(自暴自棄)라고 한다. 결국, 이러한 사람들은 진정한 길에서 멀어져 우주의 질서를 어긴 삶을 살게 된다.

그래서 우주의 질서를 깨닫고 실천하기를 간절히 바라며 '아침에 도를 깨닫는다면 저녁에 죽어도 후회할 것이 없다'라고 일깨워 주셨다.

朝聞道, 夕死可矣.
조문도면, 석사라도 가의니라.

"하루아침에 도를 터득하면, 그날 저녁에 죽는다 해도 되겠구나!"이는 인생의 참된 도를 깨닫는다면 죽어도 아무런 후회가 없다는 의미이다.

111일. 이득(利得)에 눈멀지 말라

모든 사람은 편리함을 추구한다. 정확히 말하자면 이익이 있는 곳으로 옮겨가며 이익에 따라 움직인다고 할 수 있다. 언뜻 보기엔 잘 드러나지 않지만, 양팔 저울에서 무게 중심을 잡아주지 못한다면 한쪽으로 기울어질 수밖에 없다. 한쪽은 인간 본성에서 비롯된 의(義)요, 다른 한쪽은 외부적인 이(利)의 유혹으로부터 발생하는 현상이다. 당장 눈에 보이는 것이 크고 좋아 보여서 의(義)를 소홀히 여기곤 한다. 우리가 존숭(尊崇)하는 성인은 다 같은 사람임에도 불구하고 의(義)와 리(利)의 무게 중심을 시간과 공간에 따라 항상 균형을 잃지 않는 삶을 사시는 분이다. 반면, 일반인은 의를 뒷전으로 생각하고 이익을 앞세우는 삶의 길을 택해 많은 사람으로부터 비난과 원망을 받으면서까지 이익에 눈멀어 의(義)를 저버리는 생활 주체가 되기도 한다. 어떤 선택을 하는 것은 개인의 판단에 달려있다.

放於利而行, 多怨.
방어리이행이면, 다원이니라.

공자의 말씀에 "이익만을 따라 행동하면 원망을 많이 받게 된다" 이는 남에게 손해를 끼치고 자신의 이익만 추구하는 행위를 의미한다.

112일. 일관성(一貫性)!

하나는 참이며, 둘은 참과 거짓이 섞여 있는 것이다. 하나의 실체가 백 가지, 만 갈래로 펼쳐져 있을 때, 그 핵심인 하나를 찾기란 결코 쉽지 않다. 성인은 그 하나를 가르치고 지키며, 하나의 자체 완전체로 평생을 살다간 분이다.

우리는 종종 이렇다 저렇다고 말하지만, 결국에는 그 뿌리는 하나뿐이다. 우리는 그 하나를 찾지 못하고 어디론가 더듬어 다니는 것일지도 모른다. 많은 제자의 질문에 공자께서 이해할 수 있는 정도로 답변을 주시면서 가르치시는 방법이 우리 교육자들의 길이며, 우리가 체득하고 실천해야 할 과제이다.

공자의 수제자인 증자(曾子)가 질문했을 때 "우리가 따라갈 도(道)는 하나뿐이다. 그 하나로 모든 이치를 규명할 수 있다."라고 대답하셨으며, 다른 제자들이 그 의미를 이해하지 못했을 때 증자는 많은 제자에게 공자의 가르침을 "자신의 마음을 다하는 충(忠)과 남과의 관계에서 최선을 다하는 서(恕)뿐이다."라고 설명해 주었다 하니 우리 모두 각각 자신의 마음으로 일관된 길을 찾아 나아가는 것이 공부의 핵심이다.

일이관지
一以貫之

吾道一以貫之.
오도는 일이관지니라.

우리의 도(道)는 항상 하나로 꿰뚫을 수 있다.

113일. 충실(忠實)과 용서(容恕)

자신의 처지가 어떤 경지에 있더라도 최선을 다하고, 남과의 관계에서도 최선을 다하는 것! 바로 충(忠)과 서(恕)이다.

세상은 나와 너와의 만남으로 이뤄진다. 우리는 서로 함께 웃고 울며 소통하는 공간이며, 공감과 이해를 바탕으로 형성된 큰 하나인 사회이다.

충(忠)은 중(中)과 심(心)이 하나가 된 글자이다. 중은 '가운데'라는 의미로 알려져 있지만, 여기서는 '속 중'으로 해석해 볼 수 있다. 내 속 깊은 마음을 충으로 표현하며, 그 속에 담긴 꾸밈 없는 순수한 마음 자체를 충이라고 한다. 자신의 외부 모습과 내부 마음이 일치하는 상태를 충이라고 이해할 수 있다.

서(恕)는 여(如)와 심(心)의 결합으로 이루어진 글자로, '네 마음이나 내 마음이 같다'라고 해석할 수 있다. 서는 상대방의 처지를 생각하여 자신의 마음으로 좋고 싫음을 표현하는 것이다. 만약 내가 싫으면 상대도 싫어할 것이며, 내가 좋으면 상대도 좋아할 것이다. 인간의 마음은 결국 모두 같은 원리로 동작한다. 세상이 복잡하게 보일지언정 사실은 나와 너 간의 문제일 뿐이다. 그래서 충과 서를 다하기 위해서는 세상을 해결하기 위한 열쇠가 되므로 어찌하여 소홀히 할 수 있겠는가.

忠恕
충서로다.

114일. 나이를 알아라

자식은 부모님의 연세를 꼭 알아야 한다.
한편으로는 오래 사심을 기뻐하고,
다른 한편으로는 날로 쇠약해지심을 걱정해야 한다.

살아 계실 때 최선을 다하라. 돌아가신 후에는 울지 말고….
한 번 태어나면 반드시 떠나는 것이 세상의 이치이다. 나를 낳아 소중히 키워주시고
가르쳐 주신 부모님, 자식으로서 어떻게 부모님을 저버릴 수 있을까. 부모님에 대한
감사함을 느끼는 나이가 되면, 부모의 연세는 많아지고 검던 머리칼이 희미해지며,
탱탱하던 피부도 주름이 생기고, 팔뚝도 힘이 약해지며 다리도 저릿저릿하며 기력
이 약해진다.

그러한 부모의 나이를 알고 그에 맞춰 건강관리를 해주는 것은 자식으로서의 본분이
다. 연로하신 부모님의 나이와 생명력을 알아 챙기는 것은 한편으로 오래도록 건강
하게 계셔서 기쁜 마음으로 지낼 수 있게 하는 것이며, 다른 한편으로는 곧 노년기의
극치에 이르러 돌아가시게 될 날이 다가오니 그것을 걱정하는 것이다. 인간 감정은
종종 변화하기 마련이라 일관되게 판단하기 어렵지만, 여기에서 우리는 부모를 극도
로 생각하는 마음을 표현한 것이다.

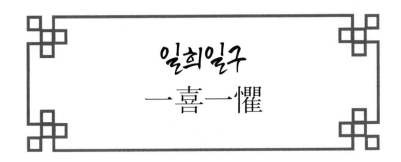

一則以喜, 一則以懼.

일즉이희요, 일즉이구로다.

한 편으로 기뻐하고, 또 한 편으론 두려워하라.

115일. 덕(德)을 지녀라

어느 집단이나 사람들이 모이는 곳은 항상 존재한다. 작은 동네에서도 사람들은 그 집에 모이고, 형제 사이에서도 형제의 집에 사람들이 모인다. 이는 어떠한 이유가 있기 때문이다. 외부적으로 드러나지 않더라도 뭔가 이유가 있는데, 특별히 잘 생겨서, 돈을 많이 가지고 있어서, 환경이 좋아서라기 보다는 모일 때마다 찾아오는 사람의 마음을 편안하게 해주는 덕을 지닌 사람이 그 중심에 있기 때문이다.

덕에도 여러 가지 종류가 있다. 재물을 많이 가진 사람은 재덕(財德), 학문적으로 높은 경지에 있는 분은 학덕(學德), 인간미가 넘치는 사람은 인덕(仁德)이라고 할 수 있다. 반대로 악한 행동을 일삼는 경우 악덕(惡德)으로 언급하기도 한다. 그중에서도 가장 다른 사람의 마음을 편안하게 하는 것은 바로 인덕이다. 인간미란 남을 사랑하고 배려하며, 남에게 하기 싫은 일을 시키지 않으며, 자신보다 남의 손해를 보려고 하는 태도를 갖추며, 남의 기분을 상하지 않으려고 하는 것이다. 이러한 인간미를 지닌 사람 주변엔 항상 다른 사람들이 구름처럼 모여드는 경향이 있다.

인권과 권력 찾아 모여드는 집단과 달리, 사람으로서의 성숙함과 착함으로 인해 모여드는 것은 아름다운 일이다. 다른 사람들에게 줄 수 있는 것들이 있다면 그곳에서 만큼은 다른 사회와 달리 함께할 수 있다는 것이다. 그것이 재물일 수도 있고, 지식일 수도 있으며 무엇보다 중요한 건 자신만의 특별한 성품과 배려심이다.

가만히 생각해 보면, 사람들이 모이기 위해서는 남에게 줄 수 있는 것이 있어야 한다. 그것이 재물이든 학문이든 인간미든, 간에 누구나 자신이 가진 것 이외에는 줄 수 없으므로, 나는 내가 무엇을 줄 수 있는지 심사숙고해야 할 일이다.

德不孤, 必有隣.
덕불고, 필유린이라.
덕을 지니면 외롭지 않아 반드시 그 덕을 함께 할 이웃이 있다.

116일. 하나(一)를 들으면, 열(十)을 안다

수를 셀 때, 하나, 둘, 셋부터 시작하여 열, 백, 천, 만 등으로 세어나간다. 이 말은 시작을 알려주면 그 끝까지 다 이해한다는 의미이다. 공자의 제자 중 자공은 항상 남과 비교를 잘했던 사람이었다. 어느 날 자공에게 물었다. "너와 안회(顏回)를 비교하면 어떻게 되느냐." 그 질문에 자공이 말했다. "제가 어떻게 안회를 따라갈 수 있을까요. 안회는 하나를 배우면 열까지 한 번에 이해하지만, 저는 겨우 하나를 배우면 둘을 알아차릴 수 있는 수준이다." 이 말을 듣고 공자가 자공이 잘난 척하는 것이 아니라 자신의 실력을 명확히 알고 있는 사람이라고 칭찬했다.

맞습니다. 모든 일은 시작과 끝 지점이 있다. 큰 것과 작은 것, 낮은 것과 높은 것 등 상대적인 관계가 항상 존재한다. 가르치는 처지에서도 하나의 원리를 가르치면 나머지 응용문제들을 스스로 해결할 수 있도록 도와야 하며, 배우는 사람도 하나의 원리를 깨달으면 그것을 활용하여 세상 어디서든 적용할 수 있어야 한다.

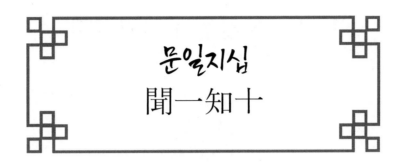

聞一以知十
문일지십이라.

117일. 묻기를 두려워 말라

영민하더라도 배우는 것을 좋아하고, 아랫 사람에게 물어보는 것을 부끄럽게 여기지 않아야 한다. 일반적으로 머리가 좋은 사람들은 노력을 소홀히 하는 경향이 있다. 하지만 그들이 노력하면 언제든지 더 높은 곳에 도달할 수 있기 때문에, 그 좋은 머리를 믿는 것이 아니라 능동적인 노력을 통해 큰 인물이 될 수 있다. 지위가 높더라도 겸손한 자세를 유지하고 다른 사람들의 의견을 소중히 받아들이려면 자신의 지위를 잊어야 한다. 지위, 나이나 학력 등에서 자신보다 부족한 사람에게 묻는 것은 어려운 일일 수 있지만, 참으로 배우기를 좋아하는 사람은 누구나 나이나 지위를 따지지 않고 질문하는 것을 좋아한다.

나는 진정한 의미에서 질문을 좋아하고 학습에 열정적이라고 할 수 있을까. 한 번쯤 곰곰히 생각해 보면 좋겠다.

不恥下問

敏而好學, 不恥下問
민이호학하며, 불치하문하라.

118일. 과거의 잘못을 오래 기억하지 마라

지조가 곧다고 알려진 백이 숙제는 옛 잘못을 마음에 담아두지 않는 미덕을 가진 인물로 남의 원망을 거의 듣지 않았다 한다.

백이 숙제는 다른 사람의 잘못을 보면, 반드시 그 잘못을 고칠 때 까지 뒤도 돌아보지 않았다지만, 그가 잘못을 고치고 나면 예전 처럼 대해 줬다고 한다. 성격이 강직한 사람일수록 상대방의 잘못을 간과하기 어려운게 사실이다. 하지만 사람은 누구나 잘못을 저지를 수 있기에 한 번의 잘못을 마음 속에 담아두고 평생 미워할 필요는 없다.

예로부터 올곧기로 소문난 백이 숙제는, 어떤 사람의 잘못을 보면 뒤를 돌아보지 않고 독단적인 선택을 하곤 했다. 그러나 그가 잘못을 고친 후에는 꺼리거나 미워하지 않아 원망을 받지 않았다. 오히려 그냥 평범하게 대하면서, 언제나 그렇듯 나름대로의 감사와 식구에 대한 존중을 보여 주어 그에게 원망을 품은 사람이 없었던 것이다. 이것은 참 쉽지 않은 일이다.

불념구악
不念舊惡

伯夷叔齊不念舊惡, 怨是用希.
백이숙제는 불념구악이라, 원시용희니라.

119일. 자랑질하지 말라

모든 사람은 자기가 잘 하는 점을 어필하고 싶지만, 반대로 다른 사람들의 자랑을 듣는 것은 가장 싫어하는 경향이 있다. 그렇다고 해서 다른 사람들에 대해 부정적인 이야기를 하기는 쉽지 않다. 여기서 '벌(伐)'이라는 글자는 '자랑할 벌'이라는 의미로 사용되었고, 마찬가지로 '선(善)'이라는 글자도 '잘할 선'으로 사용되어 자신의 잘하는 점을 자랑하지 말아야 한다는 의미이다. 자신의 잘하는 점을 드러내기 시작하면서부터 현재 위치에서 만족해버리고 더 높은 단계에 도달하기 위한 노력을 게을리 하니, 공자는 제자들의 학문적 진보를 염두에 두며 엄격한 꾸짖음을 하셨다.

내가 싫어하는 일은 다른 사람들도 마찬가지인 마음이라는 것을 이해하여 남에게 시키지 않았던 것이다. 이것은 역지사지(易地思之)의 원리를 적용하여 상대방의 입장이 되어 생각함으로써 나타나는 서(恕)의 개념이다. '벌선(伐善)'은 안주(安住)함에 경계하며, '시로(施勞)'는 상대방의 처지에서 생각함으로써 행동한다는 의미이다. 이두 가지 원칙을 지키면 많은 사람에게 모범이 되고 존경받는 대상이 될 수 있다.

無伐善, 無施勞
무벌선하며, 무시로하라.

자신의 잘하는 점을 자랑하지 말고, 남에게 수고로움을 끼치지 말아야 한다.

120일. 노인을 편안하게!

만약 여건이 허락된다면, 가장 하고 싶은 일은 무엇일까. 돈을 벌거나 봉사활동을 하거나 한 나라를 다스리는 등 다양한 답변이 있을 수 있다. 어느 날 공자의 제자들과의 대화에서 그들의 속마음을 살피는 시간이 있었다. 많은 제자가 정치에 관심을 가지겠다고 대답했다. 이에 대해 듣고 난 후, 한 제자가 갑작스럽게 던진 질문인 "'선생님은 무엇을 하시겠습니까.'"라고 묻자, 공자께서는 "노인들이 자신을 편안하게 여기도록 하고, 친구들이 자신을 믿어줄 수 있도록 하며, 어린아이들을 마음 깊숙이 포용하겠다"라고 답변했다.

모든 사람은 자신을 소중하게 여기는 사람에게 기대고 싶어서 한다. 특히 나이가 들면서 그런 사람과 함께할 수 있기를 바라니, 공자는 그러한 역할을 맡아주겠다는 것이다. 거창한 정치를 하거나 많은 돈을 벌어 멋지게 살기를 원하는 생각보다도, 나이 들수록 이러한 역할에 중점을 두고 싶다.

여건이 허락된다면, 당신은 가장 하고 싶은 일은 무엇일까요.

老者安之, 朋友信之, 少者懷之.
노자를 안지하며, 붕우를 신지하며, 소자를 회지니라.

121일. 얼룩송아지!

얼룩소(犂牛)의 송아지가 붉은 빛(騂)을 띠고,

뿔이 단정히 났다면,

사람들은 쓰지 않을지 몰라도,

산천(山川)의 신(神)은 그것을 거절하겠는가.

출신 성분이 중요한 게 아니라, 그 사람 됨됨이가 중요함을 갈파한 명언이다. 당시 주(周)나라에서는 붉은색을 숭상하여 산천(山川)에 제사를 지낼 땐, 순수 붉은 소를 잡아서 썼다. 또 교각살우(矯角殺牛)란 말이 있듯이 소의 뿔이 반듯하게 난 소라야 제사상에 올랐다. 비록 그 어미 소의 털이 순수 붉은색이 아니고, 뿔이 다소 반듯하지 못하다 해서, 송아지의 털이 순 붉은 색을 띠며, 뿔이 가지런히 잘 났다면, 제사의 용도로 적합하여 쓸 수 있다는 말이다.

요즘처럼 출신을 따지고, 학벌을 따지는 세상에서 순수 실력으로 그 사람을 써야 할 자리에 알맞은 실력자라면 꼭 써먹을 수 있으니, 시골 출신, 한미한 집안, 지방대학을 나왔다고 해서 위축될 일이 없다는 말이다.

성차각(騂且角)이란 세상에서 요구하는 인재상으로 적합한 인물을 말한다.

부모의 잘못이나,

가난이 그 자손들에게 이어져 가는 것을 두고 만들어진 말이다.

좋은 쪽을 닮아가는 것은 차치하고,

유독 부정적인 것을 꼭 집어 말하는 것은,

제외하려는 수단이었다.

그로 인하여, 위축된 사람들이 얼마나 많겠는가.

공자의 말씀으로 제자의 시름을 털어주고,

후세에 그 누구도 자신의 역량과 노력 여하에 달린 것이지,

부모의 영향이 절대적인 것이 아님을 일깨워주는 가르침이다.

사람의 눈엔 그 부모와 겹쳐 보이겠지만,

하늘은 그 보다 그 사람의 인덕이 어떻고,

그의 자품(資品)이 어떠하며,

그의 노력 여하에 따라 알맞은 임무를 주는 것이다.

노력할지어다. 부모나 조상을 탓하지 말고!

성차각
騂且角

犁牛之子, 騂且角, 雖欲勿用, 山川其舍諸.

리우지자, 성차각이면, 수욕물용이나, 산천은 기사저아.

122일. 중간에 포기하랴!

공자의 말씀에는 인(仁)을 실천하기 위한 힘이 부족하면 중도에 포기하는 경향이 있다는 내용이 담겨 있다. 현재 그대의 능력은 충분한데도 못한다는 핑계로 자신을 제한하고 있다는 것을 지적하고 있다.

세상에서 가장 무서운 것은 획(劃)이다. 자신이 할 수 없다고 결정(決定)선을 긋는 것이다. 이렇게 결정 선을 그으면 어떤 좋은 일이나 가치 있는 일이라도 할 수 없게 된다. 스스로 마음의 문을 닫았기 때문에 아무리 누구라도 그 닫힌 마음을 열어줄 수 없게 되는 것이다.

'사람 마음속에 가득 찬 것이 생명을 소중히 여기는 어진 마음'이라는 말이 있다. 이것이 바로 공자가 추구하는 인(仁)의 본질일 것이다.! 예를 들어, 스승의 뒷 모습을 흠모하면서 따라가려는 노력이 뒷바침 될 때, 자기의 어리석음에서 벗어날 수 있다. 공자의 교훈으로부터 우리가 인간으로서의 본분에 맞추어 인(仁)을 실천해야 한다는 강조를 받았지만, 저 같은 사람은 힘이 부족해서 그것을 실천할 수 없다고 대답한다면, 절대로 변화할 수 없음을 일깨워 준 말씀이다.

혹시 당신도 획(劃)을 긋고 있는지 되돌아보아야 할 일일지 모른다.

중도이폐
中道而廢

力不足者, 中道而廢. 今女畵.
역부족자는, 중도이폐하나니, 금여는 획이로다.

123일. 지름길을 좋아하지 말라

지름길이란 가장 짧은 거리로 질러가는 것을 말한다. 그러나 그것은 때론 정당한 길, 바른 방법이 아닐 수 있다. 물론 임시방편으로 질러가는 것도 필요하다. 하지만 이왕이면 바르고 떳떳한 방법으로 모든 일을 해결하려는 마음을 먹고 사는 것이 바람직하다. 여기 쓰인 경(徑)은 '지름길 경'으로 쓰인 글자다. 큰 틀에서 보면 잘못이 보이지만, 자기의 욕심의 눈으로 볼 땐, 지름길이 가장 옳은 방법이요, 빨리 이룰 수 있는 최선으로 보일 수 있다. 내 생각과 남의 시선이 다를 수 있다. 자신도 떳떳하고 남도 당당하게 볼 방법으로 인생을 설계하고 살기 위해 배움이 필요한 것이다.

행불유경
行不由徑

행불유경하라.
지름길 좋아하지 말라.

124일. 좋아하고 즐기는 사람

공자의 말씀에는 도(道)를 알고 있는 사람은 그것을 좋아하는 사람보다 못하며, 좋아하는 사람은 그 도를 즐기는 사람만 못하다는 것이 있다.

그러므로, 도를 알고 있는 사람은 그것을 좋아하도록 이끌고, 좋아하는 사람은 즐기도록 해야 한다. 어떤 일이든 처음에는 애매하게 알게 되어서 계속해야 할 일인지 아니면 중단해야 할 일인지 망설여질 수 있다. 하지만 확실히 알게 되면 점점 더 좋아지며, 좋아질수록 함께 하고 싶어진다. 주변에 있는 모든 것을 적용해 보세요. 악기 연주, 운동경기, 그림 그리기 등 다양한 취미를 시도해 보세요. 다음 단계가 있고, 그 단계 너머에 또 다른 단계가 있다는 것을 깨닫게 될 것이다. 이렇게 시작하여 극도의 수준에 이르면 반드시 '즐김'으로 바뀐다. 생각만 해도 웃음이 나오고 흥분되며 흥미가 생기니, 누가 이런 감정을 멈출 수 있을까. 진정으로 좋아하고 진정으로 즐기는 인생은 행복 자체이다. 학문적인 분야에서도 마찬가지로 평생을 기쁘게 보내면서 남길 가치가 충분히 있다는 것이다. 무엇을 망설이나요.

知之者 不如好之者, 好之者 不如樂之者.
지지자 불여호지자요, 호지자 불여락지자니라.
아는 사람은 좋아하는 사람만 못하고,
좋아하는 사람은 즐기는 사람만 못하다.

125일. 지혜로운 사람과 어진 사람

만약 지혜로운 사람과 인자한 사람 중 하나를 선택해야 한다면 어떤 삶을 선택할 것인가.

산(山)의 속성은 가만히 있으면서도 자연과 조화를 이뤄 푸른 잔디, 나무, 새들, 동물들 그리고 물을 포함하여 모든 것을 포용한다. 변화하는 자신의 모습에도 누구든 찾아오면 환영하며 넓고 큰마음으로 다정하게 대한다.

반면 물은 가만히 있으면 고인 물이 되어 썩어버린다. 항상 동적으로 흐르며 새롭고 활기차게 만물을 발전시키며 생명체들에게 활력을 준다. 그 결과, 산을 좋아하는 사람은 대자연의 형상과 같이 변함없이 오래도록 그 자리를 유지하려고 한다. 반면 물을 좋아하는 사람은 활동적인 성향으로 가만히 있는 상황을 답답하게 여기며 항상 행복과 변화를 추구하는 경향이 있어 기쁨 가득한 생활을 추구한다.

그러므로 스스로 어떤 형태의 삶을 추구하고 있는지 깊이 생각해 볼 가치가 있다. 나는 과연 어짐을 추구하여 산과 같은 역할을 할 것인가, 아니면 활동적인 사람으로 지혜를 추구하여 동적인 삶의 추구하는가.

물은 머물러 있는 것이 아니요,
산은 또 제 마음대로 움직이지 않는다.

지혜와 어짊,

머물지 않고, 움직이지 않아,

하나는 활동적이고 또 다른 하나는 정적이다.

지혜로운 사람의 길에 서 있는가.

아니면 어짊의 삶에 따라 가려는가.

사람들의 눈에 비쳐지는 모습이 달라진다.

즐거운 삶을 살고,

오래 사는 결과를 가져온다.

지혜와 어짊,

인생의 주제라 할 수 있다.

知者樂水, 仁者樂山. 知者動, 仁者靜. 知者樂, 仁者壽.
지자는 요수하고, 인자는 요산이니, 지자는 동하고, 인자는 정하며,
지자는 락하고, 인자는 수니라.

공자의 말씀에 따르면 '지혜로운 사람은 물을 좋아하고, 인자한 사람은 산을 좋아한다. 지혜로운 사람은 활동적이며, 인자한 사람은 정적이다. 지혜로운 사람은 즐겁게 살고, 인자한 사람은 오래 살게 된다'.

126일. 널리 배워 간략하게 실천하라

인간 삶의 두 축은 배움과 적용이다. 우리가 다양한 지식과 기술을 배우는 근본적인 이유는 실생활에서 적용하기 위함이다. 인문학의 근본적인 목표는 인간의 본성을 이해하여 본성 회복에 목표를 두는 것이다. 다시 말해, 사람다운 삶을 살기 위해서 배우는 것이다. 예라는 것은 항상 격식을 따지는 복잡한 것으로 이해되지만, 실제로는 인생의 질서(秩序)와 절차(節次)이다. 하늘엔 하늘의 질서가 있고, 땅에도 땅의 질서가 있다. 사람에게서도 질서가 없을 수는 없다. 복잡한 도시에서는 항상 신호등으로 질서를 유지하듯, 사람 관계에서도 질서는 보이지 않아도 꼭 지켜나가야 할 소중한 신호등이다. 다양한 분야와 경험으로부터 깨달은 이치를 적재적소(適材適所)에 써먹고, 현실 생활에서 적용하며, 동료와 후배를 일깨워주는 것이 우리가 배우는 이유이다. 글을 배우는 이유도 여기에 있다. 그러므로 우리는 과거의 지혜를 소중하게 여겨야 한다. 고전은 수 천 년이 지나도 변함없이 인간의 삶을 비추는 역할을 하며, 그 중 대표적인 것이 바로 논어(論語)일 것이다.

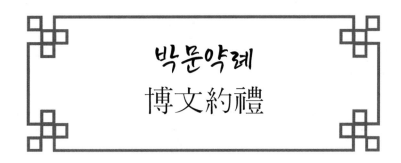

君子博學於文, 約之以禮.
군자는 박학어문이요, 약지이례니라.

군자는 학문에 박식하며 행동에 규범이 있어야 한다고 공자는 말했습니다. 얼마나 많은 것을 배웠다 하더라도 행동에 결점이 있다면 학문에 대한 이해는 쓸모가 없다.

127일. 옛것을 좋아하라

인류문명을 계승하는 것은 문자로 기록되어야 가능하며, 그 기록이 남아있어야 한다. 또한, 그 기록을 해독할 수 있는 능력이 있어야 가능한 일이다. 창작은 아무도 만들지 못한 새로운 것을 처음으로 만들어 내는 일이다. 공자는 항상 선대로부터 이어져 온 문명을 자신이 잘 기술하고 이어갈 수 있도록 제자들에게 가르치셨다. 문명의 핵심을 파악하여 의심 없이 전해주고, 굳건히 믿음으로써 모든 사람이 인간다운 삶을 살기를 간절히 바랬다.

창작물은 좋아하지만, 당신은 언제나 겸손한 표현으로 예로부터 내려오는 지식과 이치를 잘 정리한다고 표현하셨으니, 현대적으로 흔히 사용되는 '창작'이라는 용어를 다시 한 번 깊이 생각하는 계기가 되었다.

신이호고
信而好古

述而不作, 信而好古.
술이부작하며, 신이호고니라.

예로부터 전해오는 것을 전술(傳述)은 하지만 창작은 하지 않았으며, 선배들의 말씀을 믿으면서 옛것을 좋아했다.

128일. 예술 세계에 푹 빠져라

사람으로서 가야 할 길을 '도(道)'라고 하고, 그것을 실천하여 얻은 것을 덕(德)이라고 한다. 도(道)가 완전해지고 덕(德)이 완벽히 갖추어질 때 이를 인(仁)이라고 부른다. 도(道), 덕(德), 인(仁)은 세상에서 필요한 여러 가지 기능과 예절, 음악, 사격술, 운전, 서예, 계산 등 다양한 영역에서 그 본질적인 원리가 들어있다는 것을 의미한다. 이러한 원리를 예(藝)라 부른다.

결국, 사람은 자신이 가야 할 길을 찾아서 여러 어려움과 고난 속에서도 즐기는 것이 학문의 시작일 것이다. 예는 실생활에서 필요한 다양한 움직임과 행동들로 구성되어 있다. 그래서 가능하다면 즐겁고 남들이 보기에도 멋진 움직임을 갖추는 것이 중요한다.

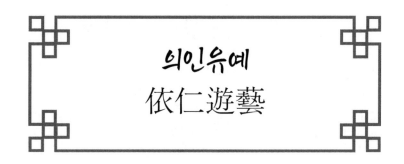

依仁遊藝

志於道, 據於德, 依於仁, 遊於藝.
지어도하며, 거어덕하며, 의어인하며, 유어예니라.

'도(道)에 뜻을 두며, 덕성을 굳게 지키며, 양심에 의지하며, 예술 세계에 푹 빠져 놀
아라'

129일. 평범함을 즐겨라

신기함을 좋아하지 말라. 시대를 초월하고 문명 너머에 남겨진 인류문명은 신기함이 아닌 평범함, 특별한 사람만이 할 수 있는 일이 아닌, 누구나 하고 즐길 수 있는 일을 말씀하셨고, 이왕이면 그것을 조금이라도 쉽고 알 수 있으며 참여할 수 있는 보편성을 강조했다.

요즘처럼 신기함을 좋아하는 세상에서는 다소 동떨어진 말처럼 들릴 수 있겠지만, 모든 음료수의 바탕이 물이 되듯, 평범함이 바탕이 되는 것이다.

子不語怪力亂神.
자불어괴력난신이러시다.

공자(孔子)는 많은 것을 제자들에게 숨김없이 말씀하셨지만, 괴이(怪異)한 것, 덕행을 방해하는 힘 자랑, 질서를 어지럽히는 혼란, 누구나 쉽게 다가설 수 없는 귀신(鬼神)의 조화(造化)에 대해서는 말씀하지 않으셨다.

130일. 사치(奢侈)는 불손(不遜)함을 낳는다

중용의 도에 어긋난 것으로 보일 수 있지만, 고루함은 본질을 보전하고 있으므로 본심을 저버린 사치보다 낫다는 말씀이다. 흔히 사람 구실을 하려면 많은 돈이 들고 격식에 따라 행동해야 한다고 주장한다. 그러나 이러한 생각은 자연스럽게 사치를 유발하며, 사치란 큰 체 하는 사람이나 많은 체 하는 사람으로서 본질을 과장하여 행동으로 나타내려는 것으로 공손(恭遜)함과는 거리가 저절로 멀어지게 된다.

반면에 검소란 자기의 경제력이나 시간, 지위에 맞춰 아끼려는 마음으로 간결하게 행동하는 것을 의미한다. 그러나 이러한 태도는 자칫 고루하다는 평을 받기도 한다.

공자는 자신의 본분을 부풀리거나 크게 만들려는 마음보다 차라리 다소 인색하다거나 고루하다고 손가락질을 받더라도 검소한 삶이 더 좋다고 가르쳐주셨다.

사즉불손
奢則不孫

奢則不孫, 儉則固. 與其不孫也, 寧固.
사즉불손하고 검즉고니, 여기불손야론 녕고니라.

"사치하면 공손할 수 없고, 검소하려면 고루해지는 법! 그래도 불손한 것보다 차라리
고루함이 낫겠구나!"

131일. 공자의 본모습

물체를 자세히 관찰하여 그림으로 그려내는 것을 묘사(描寫)라고 한다. 공자와 함께 공부한 제자들은 세밀함에서 아무도 따라올 수 없는 정확성을 보여주는데, 이 구절은 제자들이 공자의 일상적인 모습을 상세히 설명한 부분이다.

생각해 보면, 온화한 사람은 대개 엄격함이 부족해지고, 위엄있는 사람은 사나워질 수 있다. 많은 사람 앞에서는 공손하려 해도 긴장되어 불안한 마음이 앞서는데, 공자는 시간과 장소, 감정의 희로애락을 완벽히 조절하여 중용의 도를 실천하는 모습을 보이신다. 앞에서 언급한 세 가지 특성을 자신의 삶에 비추어 보라. 두 가지 특성이 어그러지지 않고 잘 어울리기가 어려운 법이다. 이 구절에서 우리는 성인(聖人)의 진정한 모습을 보고 배울 수 있다.

子 溫而厲, 威而不猛, 恭而安.

자는 온이려하시며 위이불맹하시며 공이안이러시다.

공자께서는 온화하면서도 엄숙하시며, 위엄이 있으면서도 너그러우시며, 공손하면서도 자연스러웠습니다.

132일. 존재가치를 지켜주는 귀중한 것

새는 죽음이 도래(到來)하면 슬피 울고, 사람은 죽음에 이르러 착해진다.
이래저래 꾸미고 속이며 허풍을 떨다가도 죽음이 임박하면 본심으로 돌아가 착한 성품으로 돌아간다.

죽음이 임박하여 의식이 조금 남아있을 때, 평소와는 다른 언행을 한다. 아웅다웅 살다가 막상 죽음을 감지하면, 후회하고, 선한 자신의 본모습이 드러나기 때문이다. 악랄(惡辣)한 권력자가 증자(曾子)의 임종에 조문하러 오자, 죽기 전 당대의 권세를 휘두르던 사람에게 본성에 기인한 말로 선한 사람이 되도록 일깨워 주신 말이다.

리더는 말끔한 용모로 사람들 앞에 설 때, 신뢰를 받을 수 있고, 저속한 말투를 쓰지 않으면, 세상 그 어떤 어려움도 다 이겨낼 수 있다. 이 말은 지위와 권력을 빙자한 잔악한 행위를 일삼았던 지도자에게 진심으로 백성을 아끼고 사랑하는 출발점이 바로 자신의 언행에 달려 있다는 말이다.

외면에 신경을 쓰는 사람은 오래가지 못하고, 멀지 가지 못하니, 사람을 보거나 자기의 행동 규범을 정할 때, 밖에서 구하지 말고 자기 내면을 살피라는 말이다.

죽음이 임박하여 '얼마나 나 자신에게 성실한 삶을 살았는가.'를 돌아보면서 던진 짧막한 말로 의미심장하다.

君子所貴乎道者三, 動容貌, 斯遠暴慢矣, 正顏色, 斯近信矣, 出辭氣, 斯遠鄙倍矣.
군자 소귀호도자 삼이니, 동용모에 사원포만의며 정안색에 사근신의며 출사
기에 사원비패의니라.

지도자가 소중히 생각할 것 세 가지가 있다. 공손한 몸가짐으로 사납고 게으름을 멀
리하며, 차분하고 의연한 자세로 믿음을 주며, 온화한 목소리와 말투로 상스럽고 도
리에 어긋남을 멀리하라.

133일. 범이불교

스펀지는 물을 부으면 빨아들인다는 특징이 있다. 그러나 한계를 넘어서면 물을 떨어뜨릴 수도 있다. 이처럼, 남의 말에 귀 기울이는 것은 필요한 훈련이다. 내게 대한 비판이 나오면 그 이유는 분명히 내 행동에 있기 때문이다. 그래서 내 안에 있는 문제를 돌아보고 찾아내는 노력은 다른 이들에게 보여줄 수 없는 소중한 배움과 일이 된다.

여기서 사용한 범(犯)이란 글자는 침범하다, 범(犯)한다를 의미하는데, 상대방에게 공격적으로 대하는 것을 나타내고, 교(校)는 학교의 교사나 법을 연상시키는데, 내게 돌아오는 비판이나 비난을 다양한 핑계와 변명으로 상대방을 이길 마음의 표현이라고 한다. 무언가에 대해 거세게 반응하더라도 이미 벌어진 실수를 덮을 수는 없으며, 고칠 수 없다면 그 자리에서 이기는 것처럼 보일지라도 큰 실수를 저지를 수 있다.

犯而不校
범이불교

"남이 나에게 덤벼들어도 맞서 잘잘못을 따지지 말라. 깊이 마음속에 반성해 보고, 도량을 크게 가져라."

134일. 詩에서 감흥을!

시(詩)는 인간이 만들어내 가장 정제된 언어로 감정을 표현한 글이다. 감정을 속이면서 시를 쓴다면 이는 가치가 없다. 예(禮)란 질서로서 절차와 순서에 맞게 처리하는 몸짓이다. 악(樂)이란 내 안에 있는 흥(興)이 밖으로 나오는 것이다. 손에 든 악기로, 아니면 자기 목소리로, 더 나아가 몸짓으로 즐거움을 밖으로 드러내는 일이다. 뒤집어 보면 시를 읽어야 하고, 예를 지켜야 하며 음악을 즐길 수 있는 삶을 살아야 한다. 이 세 가지는 삶에 있어 행복한 삶의 지름길요, 인생사 없어선 안 될 소중한 몸짓이다.

흥시성악
興詩成樂

興於詩, 立於禮, 成於樂.
흥어시하며, 입어예하며, 성어악이니라.

"詩에서 인간의 착한 본심이 흥기(興起)되며, 규범을 통하여 사회생활의 질서를 익히며, 음악에서 인격이 완성된다"

135일. 원인(原因) 설명

세상엔 다양한 사람이 살고 있고, 삶의 방식도 천차만별(千差萬別)이다.
리더는 어떻게 해야 하는가. 사람들에게 함께 갈 수 있는 길을 제시하여 이끌 수는
있지만, 그 길로 가야만 하는 그 원인은 구체적인 설명으로 이해시키기 어렵다.

사람을 가르칠 수 있지만,
깨닫게 할 수 없구나!

가르치는 것은, 그러한 이치가 있다는 것을 가르칠 뿐,
깨달아서 실생활에 활용하는 것은
가르치는 사람의 몫이 아니다.
공부하는 방법은 설명할 수 있지만,
실제로 공부를 하는 것은 그 사람의 몫이다.
사람의 이치가 있음을 설명해도,
사람의 도리를 실천하는 것은 사람들의 몫이다.
그 이치를 말로 설명해도,
왜 그런 이치가 있는지를 깨닫게 하기는 쉽지 않은 일이다.

民可使由之, 不可使知之.
민은 가사유지요 불가사지지니라.

"백성들이 올바른 삶의 길을 따라 살게는 할 수 있지만, 그 따라야 하는 근원적인 이유를 모두 알게 할 수 없다"

136일. 드물게 하신 말씀

논어는 공자의 언행과 제자들의 질문에 대답하신 내용을 담아 놓은 글이다. 많은 말씀을 하셨지만, 이(利)는 누구나 추구하고 시키지 않아도 무게 중심이 쏠리는 것으로 사람을 유혹하기 쉬우므로 드물게 말씀하셨고, 명(命)은 현묘(玄妙)하여 알기가 어려우면서 요행심(僥倖心)을 부추길 수 있고, 인(仁)은 공자의 핵심 사상이면서도 알아듣지 못하는 사람이 많아서 알아 들을만한 제자에게만 말씀해 주셨고, 광대하고 깊어서 몸소 터득하기 어려워서 드물게 말씀하셨다. 반면에 늘 말씀하시는 것은 일상생활에서 누구나 쓸 수 있는 것을 쉽게 말씀하셨다. 글을 배우고, 행동을 어떻게 하며, 그 밑바탕에 신의가 있어야 함을 말씀하셨으니, 신기함을 좋아하는 요즘 세상과는 조금 동떨어진 듯 하다.

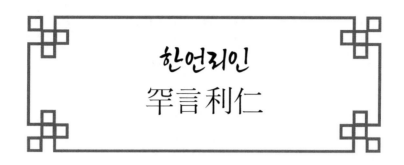

子罕言利與命與仁
자는 한언리여명여인이러시다.

공자께서는 이(利)와 명(命)과 인(仁)을 드물게 말씀하셨다.

137일. 교만(驕慢)은 인색(吝嗇)의 뿌리

겉으로 드러난 허영심(虛榮心)이 교만(驕慢)이라면, 그 뿌리는 분명 인색함이다. 실제는 비어있으나, 겉으로 가득한 체하니, 부족한 내면을 숨길 수 없는 것은, 뿌리가 썩어 큰 나무가 오래 버티지 못하는 것과 똑같다.

사치(奢侈)를 일삼다 보면 불손(不遜)함을 불러오고, 검소(儉素)함을 강조하면 고루(固陋)해진다. 작으면서 큰 체하고 (대(大) + 자(者)=사(奢)), 없으면서 많은 체하는 것을(인(人) + 다(多)=치(侈)) 그 어떤 사람이 좋아하겠는가.

가난을 좋아하는 사람은 세상에 아무도 없고, 사치(奢侈)를 일삼는 사람도 모두 싫어한다. 그 폐단은 많은 사람의 눈과 귀를 현혹(眩惑)하여 속이기 때문이다. 자기 양심을 속이면서, 남을 속여 세상을 어지럽게 하지만, 하늘은 속일 수 없는 것이 수천 년 내려온 철칙(鐵則)이다.

이렇게 볼 때, 교만(驕慢)과 인색(吝嗇)은 서로 떨어질 수 없는 수레바퀴, 지능이 높고, 재주가 많으며, 예술적인 끼가 제아무리 탁월(卓越)해도, 겸손하지 못하면, 자신에게는 발전이 없고, 다른 사람에게는 교만한 사람으로 보이니, 참 어려운 공부다.

교린불관
驕吝不觀

아무리 잘난 사람이라도 인색(吝嗇)하고 교만(驕慢)하면 보잘것없다.

138일. 누추한 곳이 정(定)해져 있다더냐

같은 그릇이라도 담는 내용에 따라 값이 천차만별(千差萬別)이다. 그릇의 크기도 다 다르듯, 한 동네에도 어떤 사람들이 사느냐에 따라 동네의 가치가 달라진다. 인품과 덕행이 넉넉한 군자가 그곳에 있다면, 그 동네 사람들은 군자의 풍도(風度)를 보고 배우며 따르게 된다. 요즘처럼 도심 집중으로 저마다 삶이 각박하다고 외칠 때, 우리 마음을 훈훈하게 울리는 소식이 가끔 들린다.

공자가 어느 날 도심의 각박한 삶에서 벗어나 조용한 시골로 떠나고 싶다고 했다. 많은 제자가 '그곳은 누추하여 선생님 계실 곳이 못 된다.'고 하자, 공자의 답변이 '군자가 살면 그곳이 군자의 마을이 되니, 무엇이 누추하겠느냐!'라는 답변이 있다. 이를 두고 '유우석(劉禹錫)의 누실명(陋室銘)'이라는 명문이 전해지고 있다.

남을 탓하기 전에 나 자신이 어떤 사람인지를 돌아보고, 내 학문과 덕행이 남에게 어떤 영향을 끼치는지를 살피게 되면, 군자다운 삶을 사는 데 문제가 없다.

何陋之有

君子居之, 何陋之有.
군자 거지면 하루지유리오.

군자가 살고 있으면 어찌 그곳이 누추하겠는가.

139일. 흐르는 강물

가까이 보면 모든 것이 변하지 않는 듯해도, 한 발 떨어져 보면 만물은 변하고 있다. 더 멀리 떨어져 우주를 놓고 볼 때, 도체(道體)의 본체를 살필 수 있다. 변함도 변하지 않음도 구별되지 않고 영원함을 볼 수 있다. 졸졸 흐르는 도랑물은 쉼 없이 흘러 흘러 강으로, 바다로 들어간 뒤 또다시 구름과 비가 되어 도랑물로 흐름을 보면, 늘 그렇게 변화 속 불변(不變)의 이어짐이다. 다만 사람에게 주어진 시간은 한정적이다. 다 때가 있어서 학문의 길을 가려는 사람은 그 시기를 놓치면 다시 되돌릴 수 없음을 깊이 깨달아야 한다. 물이 흘러감이 보이는 것은 쉼이 없기 때문이다. 사람도 발전의 모습이 보이려면 중단 없이 노력해야 함을 강조(强調)하고 있다.

서자여사
逝者如斯

子在川上曰, 逝者如斯夫! 不舍晝夜.
자재천상왈 서자 여사부인져! 불사주야로다.

공자께서 시냇물을 보고 '흘러감이 이와 같구나! 밤낮을 그치지 않는구나!'

140일. 말을 곱씹어 보라

말하는 방법엔 두 가지가 있다.

직설적으로 바른말을 하는 것과 부드럽게 돌려서 하는 말이다.

직설적인 말은 대답은 쉽지만, 실천이 어렵고, 돌려서 하는 말은 그 말의 의미를 음미해 깨우치기 어렵다는 것이다. 대답은 잘 하지만 그 행실이 고쳐지지 않고, 그 말뜻을 파악하지 못하는 사람은 어쩔 수 없다.

공자 말씀에 옳은 말, 바른말을 따르지 아니하랴! 따르지만 말고 자기 잘못을 깨달아 고치는 것이 소중하고, 부드럽게 타이르는 말은 기뻐하지 않으랴! 그 말을 기뻐하지만 말고 잘 새겨보는 것이 중요하다. 만약 기뻐하기만 하고 그 말의 속뜻을 찾지 못하며, 충고를 따르기만 하고 행실을 고치지 않는다면, 그런 사람을 내 어찌하겠는가!

충고(忠告)엔 두 가지가 있다. 하나는 직접 잘못을 지적하는 것, 또 하나는 완곡(婉曲)히 둘러서 깨우치도록 하는 것, 직접 지적하는 것은 듣기 거북하고, 완곡한 표현은 듣기는 좋다. 하지만 그 말을 잘 이해하여 자기 행실을 돌아보고 고치는 것이 중요하지 대답하는 것은 그렇게 중요하지 않다. 직설적으로 잘못을 지적하면, 말하는 사람은 쉽지만, 받아들이는 사람은 어렵고, 그 이유를 곰곰이 생각하지 못하게 된다. 반면, 완곡하게 타이르듯 충고하려면 말하는 사람은 어렵지만, 듣는 사람은 듣기는 쉬워도 그 말의 속뜻을 알아차리기는 어려운 일이다.

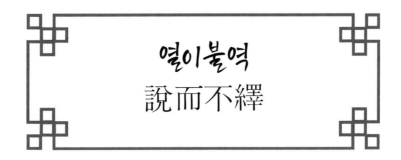

法語之言, 能無從乎. 改之爲貴. 巽與之言, 能無說乎.
繹之爲貴. 說而不繹, 從而不改, 吾末如之何也已矣.
법어지언은 능무종호아. 개지위귀니라. 손여지언은 능무열호아.
역지위귀니라. 열이불역하며, 종이불개면 오말여지하야이의니라.

141일. 죽고 사는 것

사람 눈에 보이는 것은 형체, 보이지 않는 것은 이치(理致)로서 그 이치는 없는 곳이 없고, 사람의 힘으로 어찌할 수 있는 것이 아니다. 그것을 우리는 천명(天命)이라 하는데, 모든 물체가 생길라치면 즉시 그 이치가 하늘의 명령처럼 주어지기 때문이다. 유한한 생명체는 각기 다른 수명을 받고 태어난다. 사람도 마찬가지로 큰 틀에서 정해져 있고, 세세한 것은 자기 건강관리와 밀접한 관련이 있다. 건강에 마음을 두고 운동과 섭생을 조절하는 사람은 하늘이 준 명(命)을 다 할 때까지 살 수 있으니, 그렇게 살다 죽는 것을 고종명(考終命)이라 하여 오복(五福) 중 하나가 된다. 또 부자로 사느냐 가난으로 사느냐의 문제, 귀한 사람이 되느냐. 천한 사람이 되느냐도 큰 틀에선 정해진 듯하다. 하지만 사람의 노력에 따라 하늘이 부여해준 귀천의 범주에 완전히 맞추기도 하고 그렇지 못한 때도 있다. 사람으로 최선의 노력을 다하고 나서 넘어설 수 없는 부귀(富貴), 사생(死生)은 하늘의 몫이니 노력하는 삶이 소중한 일이다.

死生有命, 富貴在天
사생유명이오 부귀재천이라.

죽고 사는 것은 천명(天命)에 매여 있고,
부귀(富貴)는 하늘에 달려있다.

142일. 무신불립(無信不立)

신의가 없으면 존립(存立)할 수 없다!

선거철이 돌아오면, 많은 입후보자의 약력과 공약을 만나게 되지만 유권자는 그 사람을 잘 모른다. 그의 공약 사항과 따르는 사람의 말을 듣고 지금까지 살아왔던 그의 신념을 믿어 투표한다. 그렇게 뽑아 놓은 사람이 자기가 던진 공약(公約)을 실천하지 못하면 공약(空約)이 된다. '신의를 지켜라!'

어느 시대, 어느 나라를 막론하고 국민의 신망이 두터운 사람은 절대 망하지 않는다. 신망의 출발은 자기를 믿는데 부터 출발하고, 확신에 찬 그 사람의 언행을 보고 주변에 있는 사람이 믿는 것이다. 남에게 신망을 두텁게 하려면, 자기와의 싸움과 자기와의 약속을 철저히 지키려는 노력은 남녀노소 누구에게도 적용된다.

우리가 알고 있는 화(火), 수(水), 목(木), 금(金), 토(土)의 오행(五行)에도 흙이 기준이 되고, 청(靑), 황(黃), 적(赤), 백(白), 흑(黑)의 오색(五色)에도 황금빛이 기준이 되고, 오장(五臟)에도 위장이 기본이 되듯, 인간의 도리 중엔 신의(信義)를 토대로 인의예지(仁義禮智)가 실행된다.

우리 삶의 핵심은 믿음 위에 피는 꽃이라 할 수 있으니, 각자 자기 위치에서 믿음으로 아름다운 꽃을 피우는 오늘이 되었으면 한다.

143일. 자식답게 살아라

필요(必要)는 존재(存在)의 근원(根源)이라는 말은, 군주(君主)가 필요하여 임금이 세워졌고, 부모가, 자식이, 제자가, 스승이 필요하며, 가로등이 필요했고, 신호등이 필요하여 거리마다 설치되어 있다. 그 자리에 알맞은 것을 세워둠을 각득기소(各得其所)라 한다.

본분에 충실하라. 사람은 저마다 자기 위치에서 해야 할 일이 있고, 역할이 있다. 누구라고 자기를 소중히 여기지 않는 이 있을까마는 자기 직분에 소홀히 하면 반드시 손가락질을 받는다.

요즘 세상엔 위정자를 손가락질하면서 동네 강아지 이름 부르듯 얕잡아 보기도 하고 상스러운 말을 거침없이 하기도 한다. 물론 그 사람이 그 역할을 제대로 하지 못해 받는 비난이요 힐책이다. 하지만 자기의 입장을 살펴보고 자기는 그 역할을 잘하고 있는지 진지하게 물어볼 일이다.
임금은 임금답고, 신하는 신하답게, 부모는 부모답게, 자식은 자식답게, 더 나아가 모든 물체는 그 역할과 그 위치에 있어야 하는 것 아니겠는가.
이런 의미에서 군군신신(君君臣臣)이란 말은 그 가치와 의미가 큰 가르침이다.

君君, 臣臣, 父父, 子子.
군군 신신 부부 자자 하라.

임금은 임금답고,
신하는 신하답게,
아버지는 아버지답고,
자식은 자식답게 행동하라.

144일. 바른 삶

솔선수범(率先垂範)이란 어려운 일을 지도자가 먼저 실천하여 그를 따르는 사람이 그가 하는 일을 본보기로 삼아 따라 함을 말한다.

예전에 혀가 짧아 발음이 정확하지 못한 사람이 훈장으로 천자문을 가르치고 있었다. '바람풍(風)'을 따라 읽히는데, 자기 발음이 '바담 풍, 바담 풍!'으로 소리가 났다. 제자는 그냥 따라 발음하여 '바담 풍' 이렇게 하자, 훈장은 화를 버럭 내면서 "야 이놈아! 바담풍 하라니까 왜 자꾸 바담풍 하는 거야!"라고 꾸지람을 했다는 이야기다. 자기 발음이 틀린 것을 모르고, 자기가 알고 있는 '바람풍'을 가르치려는 것이다.

이 일화에서 보듯, 지도자의 말 한마디, 행동에도 그 밑에 있는 사람은 따르고 있다는 말이다. 잘못된 것으로 이끌면, 잘못된 길로 끌려가는 것이니, 거울을 보듯 자기의 언행이 그대로 반영됨을 깊이 생각할 일이다.

불령이행
不令而行

其身正, 不令而行, 其身不正, 雖令不從.
기신이 정이면 불령이행하고, 기신이 부정이면 수령불종이니라.

공자 말씀에 '통치자 자신이 바르게 처신하면 명령하지 않아도 저절로 행해지고, 자신이 바르지 못하면 아무리 명령하여도 따르지 않는 법!'

145일. 큰일을 이루려면

'빨리 빨리'라는 말이 우리의 현실을 반영한 말이다. 제아무리 빨라도 쌀을 씻지 않고 밥이 되지 못하고, 바늘허리 매어 쓰지 못한다. 모든 일은 선후가 있고 단계가 있다. 그 단계에 맞는 일이 진행될 때, 서서히 그 결과물이 나오기 때문이다. 크게 멀리 보는 안목이 없으면, 눈앞의 이득에 자기의 큰 목표가 매몰되어 도달하지 못하고, 큰일은 이룰 수 없다.

한눈팔지 말라. 목표를 세웠다면, 쉼 없이 그 목표를 향해 달려가라. 서두르지 말고 천천히 차근차근 달려가라. 성공의 여신은 반드시 당신을 보고 빙그레 웃을 것이다.

無欲速, 無見小利. 欲速, 則不達, 見小利, 則大事不成.
무욕속하며, 무견소리니 욕속즉부달하고 견소리즉대사 불성이니라.

빨리 이루려고 하지 말고 작은 이득에 눈을 멀지 않아야 한다. 너무 서두르면 목적을 달성하지 못하고, 작은 이득에만 집중하면 큰일을 이룰 수 없게 될 것이다.

146일. 참으로 사랑한다면

자식을 참으로 사랑한다면, 반드시 당장은 아프고 힘들어 보여도 그 자식이 하고자 하는 일을 성취토록 채찍질하라. 그렇지 못하면, 새가 새끼를 보호하고, 짐승이 제 새끼를 감싸는 수준의 사랑에 불과한 일이다.

충신(忠臣)은 임금의 말 한마디에 흔들리지 않고, 어떠한 형벌로 위협을 가한다 해도 임금이 잘못된 길로 가지 않도록 충언을 다 하는 사람이다. 그와 반대로 간신은 임금의 마음을 훔쳐 듣기 좋은 말과 행동으로 환심을 사는 일을 하는 것이다.

내버려 주는 것은 자식을 방치하는 것이요, 충언(忠言)하지 않는 것은 나라를 망하게 하는 지름길이다. 다만 방법을 깊이 고려해 적절한 때와 장소에 맞춰 받아들일 만큼의 일깨움이 필요한 일이다.

애지능노
愛之能勞

愛之, 能勿勞乎. 忠焉, 能勿誨乎.
애지란 능물로호아 충언이란 능물회호아.

사랑하는 자식에게는 때로는 채찍을 가하고,
충성하는 군주에게는 어둠을 깨우쳐줘야 한다고 한다.

147일. 억측(臆測)이란

공자 말씀에 남이 나를 속일까 미리 염려하지 말고, 남이 나를 믿어주지 않을까 억측하지 말라. 그러나 나를 속이면서 믿음을 주지 못하는 사람을 미리 알아 처신하는 사람이 선각자(先覺者)요, 현명(賢明)함이라 하겠다.

억측(臆測)이란 일이 벌어지기 전에 자기 생각으로 짐작하는 일이다. 선입견으로 세상을 살 수 없다. 현실직시(現實直視)란 말이 있다. 현실을 있는 그대로 바르게 보고 처신하라는 말이다. 눈이 있어도 그 이치에 어두우면 흐름을 읽지 못하고, 형세를 파악할 수 없어 일이 벌어진 뒤에야 후회한다. 이는 현명한 사람의 모습이 아니다. 그렇다고 벌어지지도 않은 일을 미리 짐작하여 걱정을 앞세운다고 그 일이 잘되지 않는다. 현명함이란 참 어려운 일이요, 속임수에 걸리지 않고 살아가기 힘든 세상이니 깊이 새겨볼 구절이다.

不逆詐, 不億不信, 抑亦先覺者, 是賢乎!
불역사하며 불억불신이나 억역선각자 시현호인져.

148일. 천리마(千里馬)

기(驥)는 천리마(千里馬)를 나타내는 글자다. 일반적인 말은 하루에 30에서 40리 정도 달리면 지쳐 쉬어야 하지만, 천리마는 하루라는 기준에 한 번 뛰기 시작하면 천리를 쉼 없이 달릴 수 있는 능력을 갖춘 말이다. 하지만 천리마가 수 천 년 서책에 오르내리는 것은 그 말이 빨리 달려서도 아니고 잘 달려서도 아니다. 그 말은 사람의 말을 잘 따라 천천히 갈 때는 천천히, 빨리 가야 할 때는 빠르게 달릴 수 있지만, 항상 주인의 말을 잘 알아듣는 덕을 지녔기에 역사적으로 이름난 명마(名馬)가 되었다. 사람도 재능이 뛰어난 사람은 그 재능을 믿고 거만하거나 남을 무시하는 태도로 살면, 자기의 능력을 발휘하기도 전에 많은 부분에서 자기의 가치를 깎아 먹기 일쑤다. 재능보다는 사람으로 가져야 할 덕이 우선이다. 덕이란 왠지 모를 끌림을 가지고 있는 것으로 몇 사람만 모인 자리에서도 금방 드러나는 것이 덕을 지닌 사람이니, 잘 살펴보고 자기의 덕을 닦아 나가는 거울로 삼았으면 좋겠다.

기칭기덕
驥稱其德

驥不稱其力, 稱其德也.
기불칭기력이요 칭기덕야니라.

천리마가 칭찬받는 것은 그 힘 때문이 아니라 그 덕(덕행, 덕성) 때문이라고 한다.

149일. 하학상달(下學上達)

'안되면 조상 탓, 잘 되면 내 탓'이란 말이 있다. 어떤 사람인들 자기가 하는 일이 잘 되기를 바라지 않겠는가. 최선의 노력을 하지 않은 채 결과를 보면서 하늘을 원망하고 조상을 원망하며 부모와 환경을 탓하고 살지 않던가.

조금 현명한 삶을 산다고 하는 이는 인간사를 도외시하고 도(道)를 닦는다는 핑계로 깊은 산 속이나 사람살이를 멀리하고, 그렇지 않은 사람은 인간의 욕망에 푹 빠져 헤어나지 못한다.

공자는 하늘 이치를 그대로 실천하는 삶을 사신 분이다. 한 치의 오차도 없으셨으니 하늘에 부끄럽거나 원망을 두지 않으셨고, 사람마다 가지고 있는 본성을 그대로 꿰뚫는 삶을 살면서 사람을 이해하고 이끌었으니, 사람을 탓하지 않았다. 사람살이의 이치를 토대로 하늘의 이치를 관통하신 분으로 알아주는 것도 하늘이요, 변화에 따르는 것도 하늘의 변화니, 무엇을 탓하고 누구를 원망하랴. 이 구절은 '자신을 반성하라! 하늘에 떳떳하고, 사람들에게 떳떳한 삶을 살아보라!'고 외치고 있는 듯하다.

不怨天, 不尤人, 下學而上達. 知我者其天乎!
불원천하며, 불우인이오 하학이상달하노니 지아자는 기천호인져.

하늘을 원망하지 않고 사람을 탓하지 않으며, 인간사를 먼저 공부하면서 하늘의 이치를 깨닫기 위해 노력한다면, 나의 심경을 진정으로 이해해주는 것은 바로 하늘이라는 것이다.

150일. 깊은 물을 건널 때

"깊은 물은 옷을 벗고 건너야 하고, 얕은 물은 옷을 걷고 건너야 한다."

 상황에 맞게 처신하라.

누구나 가지고 있는 틀이 있다. 바꾸면 좋겠지만, 그 누구도 바꾸려 하지 않고, 바꿔 나아가도록 이끌어가는 사람도 드물다. 공평하게 주어진 시간(時間)과 공간(空間), 이를 우주(宇宙)라 한다. 저마다 살아오면서 시간과 공간의 얼레에 다양한 문양의 삶이라는 옷감을 짜 왔다. 그래서 바꿀 수 없다는 것이다.

하지만 시간과 공간은 항상 변화하는 속성이 있다. 그때그때 맞춰서 사는 것이 통(通) 하는 세상이다. 길을 가다가 도랑물을 만나면 펄쩍 건너뛸 수 있지만, 그 물이 깊고 폭이 넓어지면, 상황이 바뀌어 새로운 방법으로 대처하는 것이다. 물이 얕아 옷을 걷 고 건널 수 있을 만큼의 깊이라면 걷고 건너가고, 헤엄을 쳐야만 하는 상황이면 헤엄 을 치고, 배로 건너야 하는 넓고 큰물이라면 배를 타야 하는 법이다.

보이는 저 강물은 웬만한 사람이면 방법을 찾을 수 있다. 하지만 보이지 않는 인생이 란 항로는 그 깊이와 넓이와 높이를 가늠하기 쉽지 않다. 그래도 보이는 강을 건너 갈 때와 마찬가지로 다양한 방법으로 헤쳐 나가야 함을 강조한 말씀이다. 물이 깊으 면 맨발로 건너려 말라. 삶의 우여곡절이 많은 사람은 그때마다 고심하여 방법을 찾 아가라! 자기 가진 틀에서 벗어나라.

심려천게

深厲淺揭

深則厲, 淺則揭

심즉려요 천즉게하라.

151일. 숨어 사는 이유

세상을 살펴보고 처신하라.

학문(學問)의 근원적인 목적은 써먹기 위함이다. 세상을 다 파악할 수 있을 만큼의 학문을 연마했어도 어떤 사람은 크게 써먹고, 어떤 사람은 작게 써먹으며, 어떤 이는 아예 써먹을 생각도 없는 사람도 있다. 저마다 가지고 있는 주관과 세상에 필요한 것인지에 따라 달라지기 때문이다.

출처(出處)의 문제는 매우 중요한 일이다. 사람으로 세상에 태어나 내가 가진 학문과 덕행을 펼치는 것은 누구나 바라는 일이다. 하지만 세상의 흐름과 동떨어져 살면서 몇 겹의 자기 방호벽에 휩싸인 삶도 있다. 누구나 인정받는 삶을 꿈꾸고 있지만, 시간과 공간 즉 세상의 흐름에 맞춰 나서고 물러섬이 분명한 사람이 필요하다. 요즘처럼 살기 어렵다 외치는 세상에 선뜻 나서서 자기의 학덕을 펼칠 수 있는 사람과 감싸 안고 흔적을 드러내지 않는 사람이 있다. 과연 나는 세상을 어떻게 보고 있는가. 불평불만을 하는 사람은 나설 자격이 없고, 나선들 큰일은 하지 못하는 사람이다. 불평불만 이전에 자기의 됨됨이 어떤지를 먼저 살펴야 한다. 세상이 나를 필요치 않다고 흘러갈 땐, 아무리 학덕이 높은 경지에 있다고 해도 나서지 말고 잠자코 때를 기다리는 지혜가 요구되기 때문이다.

邦有道, 則仕, 邦無道, 則可卷而懷之.
방유도즉사하고 방무도즉 가권이회지하라.

"세상이 올바르게 돌아갈 때에는 스스로 벼슬길에 오르고 자신의 능력을 발휘해야
하며, 세상이 혼란스러워지면 벼슬을 그만두고 자신의 능력을 감추어야 한다."

152일. 근심을 예방하라

어려서 배워야 한다. 나이가 들면 배우기도 어렵고, 배운 것을 세상에 쓸 시간도 부족하다. '떡잎부터 안다!'라는 속담이 있듯 크게 써먹을 수 있는 인재(人材)는 어려서부터 남다르다는 말이다. 하지만 타고난 성품은 인간인 이상 누구나 공평한 이치로 태어남이 같다. 자라온 환경과 부딪치는 사람에 의해 많은 부분이 달라지는 것은 기질(氣質)적인 측면이라 말한다. 달라지는 기질을 누구나 같은 본성(本性)으로 되돌리는 과정을 '학문을 닦는 과정'이라 말하면 무리수일까.

내일 일을 아는 이는 없다. 하지만 한 발 떨어져 보면, 오늘은 어제의 연속이요, 어제는 그제의 연속이다. 내 삶은 우리 아버지의 삶이 이어지고, 아버지는 또 그 아버지….

여기서 '역사(歷史)를 보면 미래를 알 수 있다'라는 증거가 나온다. 누구나 닥쳐올 미래는 과거라는 거울을 통해 볼 수 있다. 어떻게 변화되는지를 명확히 파악한다면 어떻게 대처할지를 준비할 수 있다. 그 속엔 주어진 시간을 허투루 보내면, 마치 봄에 씨앗을 뿌리지 않으면 가을걷이가 없는 것처럼 인생사 건질 것이 없게 된다. 앞날을 준비하는 것은 오늘을 사는 것이요, 오늘이란 어제의 연장선으로 일분일초도 멈추거나 쉴 수 없는 것이 인생길이기 때문이다.

人無遠慮, 必有近憂.
인무원려면 필유근우니라.

사람이 멀리 앞을 내다보는 염려(예지)가 없다면, 반드시 가까이 근심과 걱정거리가 있을 것이다.

153일. 작은 것을 참아야만

작은 어려움을 참지 못하면 큰 계획을 그르친다.

큰일을 성취하고자 하는 사람이 작은 일을 참지 못한다면 커다란 계획을 혼란스럽게 한다. 어떤 일이든 평탄하게 이뤄지는 것은 아무것도 없다. 오르락내리락하는 것이 낮은 산에 오를 때의 일이라면, 수십에서 수백 미터의 크레파스가 도사리고 있는 것이 히말라야 등산이다. 이처럼 작은 일에 자기 마음과 맞지 않는다고 하여 화를 버럭 내게 되면, 그 누가 큰일을 하려는데 동참하겠는가.
손톱 밑에 작은 가시가 박혀도 신경이 쓰인다. 더 나아가 몸속에 암 덩이가 자리잡아도 눈 하나 까딱하지 않는 이도 있다. 큰 틀에서 보면 죽음이 눈앞에 다가와도 덤덤하게 볼 수 있는 사람이라야 큰 일, 역사에 길이 남을 큰 일을 감당하지 않겠는가.

불인난대
不忍亂大

小不忍, 則亂大謀.
소불인 즉란대모로다.

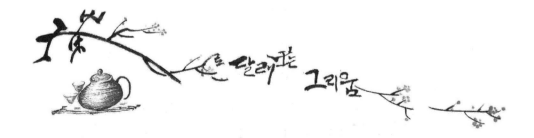

154일. 사람이 하는 일

사람이 도(道)를 넓힐 수 있지, 도(道)가 사람을 넓힐 순 없는 법!

화를 내는 것은 자기 마음에 남의 언행이 마음에 들지 않기 때문이다. 설령 함께 사는 부부라도 상대방의 마음을 내 의도로 바꿀 수 없다. 아니 내 자식이라도 마찬가지다. 하물며 다른 사람에 있어서랴!
사람이 걸어가는 보이는 길을 로(路), 보이지 않는 길을 도(道)라고 한다. 보이는 길도 내 의도대로 걷지 못하거늘, 보이지 않는 인생의 길을 어떻게 마음먹은 대로 내가 아닌 남이 맞춰줄 수 있겠는가. 해답은 내가 바뀌고 내가 맞춰나가는 것이다. 들락날락하는 출입구가 작으면 내가 연장을 들고 넓히면 되고, 남이 바뀌지 않음을 알아차려 내가 그 사람의 언행을 다 받아들일 수 있는 큰마음을 갖도록 하면 된다. 여기서 '사람이 도를 넓히는 것이지 도가 사람을 넓혀주지 않는다'라는 말을 풀어볼 수 있다.

人能弘道, 非道弘人.
인능홍도요 비도홍인이니라.

155일.인(仁)에 빠져 죽지 않는다

물과 불은 사람살이에 꼭 필요한 것이다. 없으면 못살고 한꺼번에 밀려오면 재앙을 맞는다. 외적인 요소가 물과 불이라면, 인간 삶의 내면에 깔린 사람을 사랑하고 생명체를 소중히 여기는 마음인 인(仁)은 없어서는 안 될 소중한 인간 삶의 요소이다. 하지만 일반인의 눈엔 물과 불의 중요성은 알면서도 인(仁)의 중요성을 알지 못한다. 자기가 가지고 있는 본성임에도 불구하고 잊어먹고 실천하지 못한다. 많은 부분에서 공자의 핵심 사상인 인(仁)을 만나지만, 이 표현처럼 쉽게 말씀하신 것은 드물다. 물 난리나 대형 화재로 사람의 생명을 앗아가지만, 실천하는 범위가 아무리 넓고, 제아무리 많은 사람에게 인(仁)을 베풀어도 탈이 나지 않으니, 무얼 망설이겠는가! 인(仁)을 실천하자.

공자는 인(仁)이 얼마나 소중하고 중요한지를 강조하셨다. 물과 불은 생존에 필요한 것이지만, 인(仁)은 인간의 내면에 깔린 사람을 사랑하고 생명을 소중히 여기는 마음이다. 그러나 많은 사람이 물과 불의 중요성은 알면서도 인(仁)의 중요성을 잊고 실천하지 못하는 경우가 많다. 공자는 인(仁)을 실천하는 것이 얼마나 중요한지를 강조하고, 우리가 인(仁)을 실천함으로써 더 나은 사회를 만들 수 있다고 말했다. 그러므로 우리는 인(仁)을 실천하여 서로를 사랑하고 존중하는 마음을 가지고 살아가는 것이 중요하다.

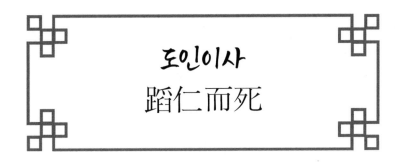

도인이사
蹈仁而死

民之於仁也, 甚於水火. 水火, 吾見蹈而死者矣, 未見蹈仁而死者也.
민지어인야에 심어수화하니
수화는 오견도이사자의어니와 미견도인이사자야케라.

백성들이여 인(仁)이 얼마나 소중한지를 알아야 한다. 물과 불보다도 더욱 소중하다
는 것을! 우리는 물에 빠져 죽거나, 불에 타서 죽는 모습을 본 적이 있지만, 인(仁)을
실천하며 죽는 사람은 본 적이 없다.

156일. 유교무류(有敎無類) 가르쳐라!

성현(聖賢)의 가르침의 핵심은 '누구나 본성을 회복할 수 있다는 확신'이다. 흔히 알고 있는 성악설(性惡說)을 주장한 순자(荀子)도 '가르치지 않으면 악한 부류로 사회악이 된다'는 것이다. 가르치면 선악(善惡)을 막론하고 모두 다 착한 사람이 되어 세상은 살기 좋아질 것이라는 희망을 한순간도 잊지 않으셨다. 이 말씀이야말로 교육의 본질이요, 출발이라 하겠다. 다만 무엇을 어떻게 가르쳐야 하는지는 어느 시대, 누구라도 풀어내야 할 과제다. 그것도 다 제시해 놓으셨으니, 나를 낳아 준 부모, 형제, 친척, 더 나아가 이웃으로 퍼져 나가는 사람다움을 바탕으로 지구상에 있는 모든 물체를 아끼고 사랑하는 큰마음으로 가르쳐야 함을 강조하셨다. 가르쳐라. 바뀔 것이요, 가르쳐라. 나쁜 사람 좋은 사람으로 갈리지 않을 것이다.

有教無類.
유교면 무류니라.

가르치십시오!
선악(선과 악)의 구분 없이 나누어지지 않을 것이다.

157일. 익자삼우(益者三友)

참 이상하기도 하다. 자기에게 유익한 벗은 사람들이 꺼리는 바요, 해로운 벗은 사람들이 쉽게 접근하는 부류이다. 하지만 실상은 유익과 손해가 정반대인 경우가 더 많다. 그러니 친구 사귐을 얼마나 신중히 하여야 할까.

솔직한 벗이라야 내 잘못을 정확히 말해주고, 성실한 사람이라야 믿음이 쌓일 수 있으며, 식견이 넓어야 어떤 상황에서든 헤쳐 나아갈 힘이 있다. 그런 벗을 곁에 둔다면 성공한 삶이라 할 수 있다.

반면에 내 눈과 귀와 입을 즐겁게 하면서 자기의 실속을 챙기는 겉과 속이 다른 사람과 가까이하면 할수록 어려움이 커진다. 이런 부류의 사람은 대체로 앞에서는 듣는 사람의 호감을 사기 위해 말을 잘하고 비위를 잘 맞추는 특징이 있다.

문만 나가면 사람을 만나고, 만나는 사람마다 각자의 속성이 있으니, 나는 어떤 사람과 만나고 싶은가. 그 해답은 내 안에 있다. 우선 내가 어떤 사람이 되는지를 살피면 같은 생각, 취미를 나눌 멋진 벗을 만날 수 있기 때문이다.

孔子曰 益者三友, 損者三友. 友直, 友諒, 友多聞, 益矣.
友便辟, 友善柔, 友便佞, 損矣.

공자왈익자삼우요 손자삼우니 우직하며 우량하며 우다문이면 익의요,
우편벽하며 우선유하며 우편녕이면 손의니라

유익한 벗은 세 가지 종류가 있으며 해로운 벗은 세 가지 종류가 있다. 솔직하고 성실하며 식견이 넓은 벗과 사귀게 되면 유익하며, 정직하지 못하고 성실하지 못하며 식견이 좁으면서도 말만 잘하는 사람과 사귀게 되면 해롭다는 것이다.

158일. 세 가지 잘못

사람을 상대하면서 세 가지 잘못을 범하기 쉽다. 어떤 사항을 언급도 하지 않았는데 먼저 말을 꺼내면 조급함이요, 그 사항에 대하여 언급(言及)하며 묻고 있는데도 대답하지 않으면 숨김이 있는 것이고, 상대방의 기분을 살피지 않고 아무 말이나 함부로 하는 사람을 '눈뜬장님'이라 한다.

말하기는 참 어려운 일이다. 시의(時宜) 적절(適切)히 하는 법을 깊이 생각하면 아무 때 아무 말을 함부로 할 수 없기 때문이다. 특히 고명(高明)한 사람 앞에선 주눅이 들어 말을 못 하거나, 듣기 좋은 말로 아부하는 말을 하기 쉽다. 또 하지 않을 말을 하여 입방아에 오르기도 하여 아예 대답하지 않는 일도 있다. 말이란 꼭 해야 할 말도 살펴서 걸러 가며 하는 것이다.

侍於君子 有三愆, 言未及之而言謂之躁,
言及之而不言謂之隱, 未見顔色而言謂之瞽.

시어군자에 유삼건하니, 언미급지이언을 위지조요,
언급지이불언을 위지은이오, 미견안색이언을 위지고니라.

조급함이나 숨김으로 인해 눈뜬장님처럼 사람들을 대하지 말아야 한다는 공자의 말
씀이다.

159일. 세 가지 경계할 점

삶은 즐겁고 행복한 것이다. 하지만 꼭 고비가 있기 마련이다. 공자는 세 가지 단계를 정해 우리 삶에 신호등을 밝혀주셨다. 젊은 시절 아직 결혼 상대가 정해지기 전, 기운이 펄펄 넘치는 젊은 시절, 늙어서 몸마저 가누기 어려운 시절에 사람이 범하기 쉬운 큰 잘못을 피해 갈 수 있는 신호등을 켜 주셨다.

남녀 모두 젊어 혈기 왕성할 땐 이성을 성교의 상대로 바라본다. 눈만 마주쳐도 서로의 마음을 읽어 사랑을 나누고 싶어라 한다. 요즘처럼 자유연애 하는 세대엔 더더욱 신중해야 뒤탈이 없다. 30을 넘어 40대에는 못 할 일이 없을 것 같은 착각에 아무 일이나 이권(利權)이 개입되는 일에도 덜컥 손을 대기 마련이다. 그러다 보면 자기 성질을 이기지 못한 채 싸움에 휩싸이기에 십상이다. 이때 자기 삶의 많은 것을 한꺼번에 잃을 수 있어서 특히 조심해야 한다.

나이가 들면 들수록 버림을 생활화하라는 말이 있지만, 작은 것 하나도 내 것으로 만들고 싶어라 하는 욕심의 극치에 도달하는 시기라서 물건을 탐내는 경향이 짙다.

인생살이의 변곡점(變曲點)을 슬기롭게 이겨나가는 문제는 나와 너, 우리 모두의 숙제요 해결해야 할 문제다.

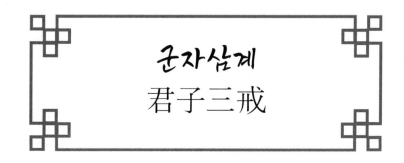

군자삼계
君子三戒

君子有三戒, 少之時, 血氣未定, 戒之在色,
及其壯也, 血氣方剛, 戒之在鬪,
及其老也, 血氣旣衰, 戒之在得.
군자유삼계하니 소지시에 혈기미정이라 계지재색이요,
급기장야하얀 혈기방강이라 계지재투요,
급기노야하얀 혈기기쇠라 계지재득이니라

군자는 세 가지를 경계하라. 젊어서는 혈기(血氣)가 정해지지 못했으니 성욕(性慾)을 조심하고, 장년(壯年)이 되어서는 혈기가 왕성하여 분(忿)을 참기 어려우니 싸움에 휘말리지 말고, 늙어서는 혈기(血氣)가 쇠약(衰弱)하니 노탐(老貪)을 조심하라.

160일. 삼외(三畏)

외(畏)란 두려워 함부로 하지 않는 마음이다. 아무 데나 쓰지 않고 하늘같이 누구나 함부로 하지 못하는 곳에 쓰이는 글자다. 이 속에는 존경의 의미가 들어있으며, 마음으로 어렵게 여기다 보니 몸도 함부로 하지 않게 된다. 하늘 일은 사람의 능력 밖에 있고, 대인(大人)의 가르침으로 어리석음에서 벗어날 수 있으며, 성인의 말씀은 곧 진리의 말씀이기 때문에 믿고 따르면 큰 잘못에서 벗어날 수 있는 귀한 말씀이다. 이런 이유로 마음속에 귀하게 여기고 함부로 하지 않는 마음을 가진 사람은 자연스럽게 훌륭한 삶의 존재가 된다.

반면에 부족한 사람은 남이 귀하게 여기는 것을 소홀히 여기며 함부로 대하다 보면 자기도 모르는 사이에 인생 나락으로 떨어지는 삶을 살게 된다. 어찌 함부로 할 수 있겠는가.

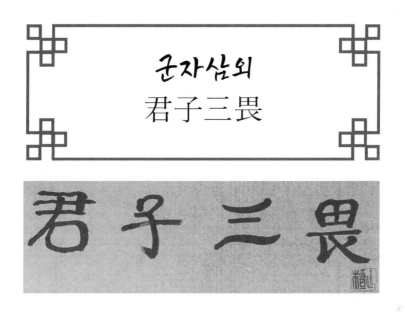

君子有三畏, 畏天命, 畏大人, 畏聖人之言.
小人不知天命而不畏也, 狎大人, 侮聖人之言.
군자 유삼외하니 외천명하며 외대인하며 외성인지언이니라.
소인은 부지천명이불외야라, 압대인하며 모성인지언이니라.

훌륭한 사람의 마음속에는 항상 두려움을 느끼는 것이 세 가지 있다. 천명(天命: 하늘의 정한 운명), 대인(大人: 덕과 지위가 높은 사람), 그리고 성인(聖人: 성인)의 말씀이다. 그러나 부족한 사람은 이 세 가지를 소홀히 여기곤 한다.

161일. 소 잡는 칼

닭을 잡는데, 어찌 소 잡는 칼을 쓰리오.

매사 용도에 맞게 하라.

규모가 큰 사람과 작은 사람의 삶이 다르다. 무엇을 하든 큰 도구를 사용하는 사람과 작은 도구를 섬세하게 다루는 사람이 있다. 작고 세밀한 작업을 할 땐 작은 도구를 써야 일이 되고, 큰일을 할 땐 큰 도구를 써야 한다.

누구나 같은 것을 배워도 써먹는 방법에서는 다르다. 그 이유는 시간과 공간의 변화로 인하여 상황이 바뀌었고, 용도와 크기가 달라졌기 때문이다. 그에 맞춰 쓰는 사람은 응용력이 좋은 사람이요, 활용하는 능력이 탁월하다는 평가를 받는다. 닭 잡는 데 소 잡는 칼을 쓰는 경우처럼 맞출 줄 모른 사람은 언제나 사람의 눈에 띄게 마련이다. 세상이란 무대에 홀로 서서 자기만의 연극을 하는 것이 인생이고 보면, 뭐라고 탓할 수 없는 일이다. 그래도 맞춰서 쓰는 것은 중요한 일이다.

割鷄焉用牛刀.
할계에 언용우도리오.

162일. 시(詩)를 배워야 한다

시(詩)는 인간의 감정을 가장 간결하게 엮어낸 작품이다. 공자는 늘 제자들에게 시 배우기를 말씀하셨는데, 그대들은 어찌하여 시를 배우지 않는고! 시는 선심(善心)을 불러일으키고, 악(惡)을 징계(懲戒)하려는 뜻을 불러일으키며, 내 행동의 옳고 그름을 살필 수 있고, 좋은 내용의 시를 통하여 자신의 마음을 돌아보아 같은 감정을 가진 사람끼리 모여서 친구가 될 수 있으며, 원망(怨望)을 정제된 언어로 담을 수 있으며, 가깝게는 부모 섬기는 시를 통하여 효자가 될 수 있으며, 멀리는 임금을 섬기는 도리를 담고 있는 시를 통하여 충성심(忠誠心)을 배울 수 있고, 심지어 새나 짐승, 여러 가지 나무, 풀의 명칭을 알 수 있는 대자연의 교과서이다.

그렇습니다. 시를 쓰는 시인은 작은 몸짓 하나도 허투루 보아넘기지 않고, 자기감정을 담아 아름다운 언어로 풀어냅니다. 특히 시경(詩經)은 삼천 년 전 삶을 살필 수 있고, 흥망성쇠의 왕조와 그에 얽힌 수많은 사람의 아픔과 기쁨, 몸짓과 마음 자세, 더 나아가 온갖 사물의 명칭과 효능까지 다 배울 수 있는 큰 교과서이다.

何莫學詩

小子何莫學夫詩.
詩, 可以興, 可以觀, 可以群, 可以怨.
邇之事父, 遠之事君, 多識於鳥獸草木之名.
소자아 하막학부시오.
시는 가이흥이며, 가이관이며, 가이군이며 가이 원이요,
이지사부하고 원지사군이오, 다식어조수초목지명이니라.

163일. 빚을 갚아라

네발 달린 짐승은 들짐승이든 가축이든 태어나자마자 스스로 일어선다. 만물의 영장
이라는 사람은 이 세상에 태어날 때, 삼 년이 지나야만 부모의 품속에서 벗어나 제
발로 서서 걷게 된다. 이 세상에서 저세상으로 가는 것을 '돌아가셨다'고 한다. 가시
는 분이야 모를 일이지만, 보내는 처지에서는 저세상에 잘 가시도록 내가 이 세상에
올 때 받은 삼 년이란 시간을 되갚아야 하지 않겠는가. 여기에서 부모가 돌아가시면
삼년상(三年喪)을 치른다. 이 원칙은 지은 빚을 되갚아드리는 이치라서 온 천하의
공통된 일이니, 최소한의 은혜를 되갚고자 하는 것이다.

세상을 탓하지 말라. 요즘엔 자식이 제 역할만 잘해도 효자 효녀라고 한다. 누구든
자기 삶의 무대에서 자기가 책임 지울 수 있는 연극을 하면 된다. 쇠퇴해 가는 상례(喪
禮)의 근원을 알고 있으면 좋겠고, 그 의미는 부모와 자식의 세대교체 상 순서로 가
지고 온 빚을 되갚으려는 최소한의 마음을 표현하는 자리이다.

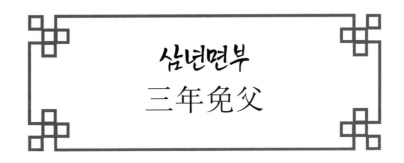

三年免父

子生三年, 然後免於父母之懷. 夫三年之喪, 天下之通喪也, 予也有三年之愛於
其父母乎!
자생삼년 연후 면어부모지회 부삼년지상 천하지통상야 여야유삼년지애어기
부모호

164일. 비방(誹謗)하지 마라

덕을 지닌 군자라 하더라도 미워하고 싫어함이 있다. 남의 단점과 잘못을 드러내는 사람을 미워하고, 아랫자리에 있으면서 위 사람을 무조건 비방하는 사람을 미워한다. 군자는 미워하고 좋아하는 기준이 엄격하여서 자신을 돌아보지 못하고 남만 탓하는 사람을 심히 미워한다.

오거하류(惡居下流)! 잘못 읽었나요.

아니옵니다. 물은 낮은 곳으로 흘러들다 보니, 모든 오염수는 그곳에 다 모이죠. 누군들 비난을 좋아하겠는가. 그 비난 듣기가 싫으면, 비난이 모이는 그런 말, 그런 모임에 가지 말라. 선비가 고상한 취미와 고상한 말을 하는 것은 하류를 피하는 지름길이기 때문이다.

이때 쓰인 말이 '오거하류(惡居下流)'란 말이니, 지금 내가 서 있는 곳이 물이 고이는 웅덩이가 아닌지 살펴볼 일이다.

오거하류
惡居下流

君子有惡, 惡稱人之惡者, 惡居下流而訕上者

군자유오하니 오칭인지악자하며 오거하류이산상자니라.

165일. 날마다 모르는 것을 찾아라

오늘은

또 무엇이 부족한가.

학문이란,

밝은 부분을 토대로,

어둠의 영역을 밝혀내는 일이다.

자기 삶에서

매일매일 부족한 부분이 어디며,

어떻게 채우고,

넘치는 부분을 덜어낼 수 있을까.

이 마음으로,

하루가 가고,

한 달, 두 달,

일 년, 이 년, 십여 년,

평생을 다져간다면,

원숙한 삶의 주체가 되고.

학문의 영역과 깊이가 정돈되리라 확신한다.

날로 부족함을 찾아보고,

그 부분을 매워 나가는 일!

행복이요,

기쁨이면서,
삶의 보람이니,
깊이 새겨 둘 구절,

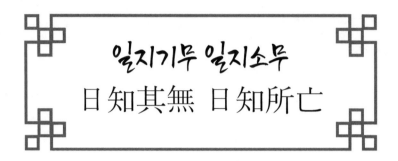

일지기무 일지소무

日知其無 日知所亡

日知其所亡,月無忘其所能, 可謂好學也已矣.

일지기소무하며 월무망기소능이면 가위호학야이의니라.

매일 알지 못하고 행하지 못한 것을 알아내어 실천하고, 매월 이미 배운 것을 잊지 않는다면, 그런 사람은 학문을 좋아하는 사람으로서 칭찬받을 수 있다. 이는 배운 것을 잊지 않고 매일 새로운 것을 추가하는 자세를 가진 사람이다.

166일. 너그러운 관리자

그릇도 넓어야 많은 것을 담을 수 있다. 온 누리를 다 담을 수 있어야 한다. 우주의 마음은 무한하고 성인은 이를 닮아 그대로 실천하는 분이다. 공부하는 사람은 성인의 가르침을 바탕으로 결국엔 우주의 큰마음을 닮아가려는 것이다. 이는 본인의 노력 여하에 따라서 크기와 넓이와 깊이가 확장되고, 좁아지기도 하며, 심지어 작은 틈도 내주지 않는 그런 공간이 될 수 있다.

 예나 지금이나 남녀노소를 막론하고 넓고 깊고 높은 용량의 그릇을 만들다 보면 세상 모든 사람을 감싸 안을 수 있다. 남이 잘못한 것이 아니라 내 그릇이 작고 얕아서 담을 수 없는데 화가 나고, 괴로워하는 것은 아닐까!

 공자의 가르침은 무한하다. 본인이 어떻게 받아들이냐에 따라서 한마디 말씀도 다르게 들리고, 다르게 해석할 수 있으며, 본인의 수용 여부에 따라서 세상을 바라보는 모든 시각이 다 바뀌어 자기 삶이 바뀌게 마련이다. 이런 의미에서 관즉득중(寬則得衆)이란 많은 사람의 마음을 얻을 수 있는 명확한 방법이다.

 특히 많은 사람을 이끌어가는 리더는 자기 마음 그릇의 용량을 더 넓게 더 깊게 더 크게 만드는 노력을 쉼 없이 해야 한다. 내 그릇이 넓고 커야만 많은 것들을 담아낼 수 있기 때문이다.
공자의 가르침을 담아 놓은 논어라는 책은 언제 펼쳐 보아도 따뜻한 난로를 등에 짊어진 듯 푸근하고 한없이 편안한 책이다.

관즉득중
寬則得衆

寬則得衆, 信則民任焉, 敏則有功, 公則說.
관즉득중하고 신즉민임언하며 민즉유공하고 공즉열이라.

너그러움을 갖는다면 많은 사람들의 마음을 얻을 수 있고, 신의가 있다면 백성들은 믿음을 가지게 된다. 또한, 민첩하다면 공로를 얻게 되며, 모든 일에 공정하게 대한다면 백성들은 만족할 것이다.

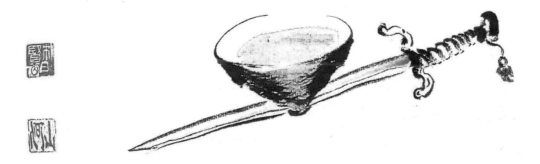

167일. 말을 알아들어라

공자 말씀에 자신의 명(命)이란 '사람의 눈에 보이지 않는 길흉화복(吉凶禍福)의 흐름과 해야 할 일과 하지 말아야 할 일을 알아차리는 것'이다. 이것을 모르면서 어떻게 군자다운 삶을 산다고 하겠는가. 어떤 자리에 어떻게 처리해야 할지를 알지 못하면, 나아가고 물러섬과 먼저 할 일과 나중에 할 일을 구분하지 못하여 자기의 뜻을 세울 수 없다. 해야 할 말과 하지 말아야 할 말을 구분하지 못하고, 참과 거짓된 말을 구분하지 못하면 참된 인생을 알지 못한다.

결국, 공부하는 최종 목적은 사람이 사람답게 살기 위한 노력이다. 하늘의 이치와 사람의 이치를 알아차려 내 삶의 온갖 상황을 슬기롭게 헤쳐나가기 위한 일이다. 논어의 첫 구절이 '배우자'로 시작해 끝 구절에 와서 '알았다'로 매듭을 짓는 것은 큰 의미가 있다.

지언지인
知言知人

不知命, 無以爲君子也, 不知禮, 無以立也, 不知言, 無以知人也.
부지명이면 무이위군자야오 부지례면 무이립야며 부지언이면 무이지인야니라.

사람은 해야 할 일을 알아야 한다. 명(命: 운명)을 알게 되면 나의 단호한 견해가 생기며, 예(禮: 예절)를 알면 꾸준한 도덕적인 행동을 유지할 수 있고, 언(言: 말)을 잘 이해하면 상대방이 숨길 수 없는 사실을 파악할 수 있다.

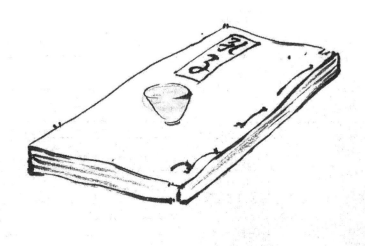

지혜의 길을 가로 질러

공자님의 말씀이 울려 퍼진다.

공자님께서 주시는 지식의 만찬에

흘러가는 세월 저 폭포수와 같으니!

추천서: 심석 김병기 교수

석용현 선생

삽화: 산하 박현일

캘리: 배정범 선생

어제의 공자가 오늘의 내게 말을 걸 때

매일매일 실천하는 논어 쉽게 읽기 167선

발행일 | 2024년 2월 29일

지은이 | 박찬근
펴낸이 | 마형민
기　획 | 신건희
디자인 | 김안석
편　집 | 임수안, 김재민
펴낸곳 | (주)페스트북
주　소 | 경기도 안양시 안양판교로 20
홈페이지 | festbook.co.kr

* (주)페스트북은 '작가중심주의'를 고수합니다. 누구나 인생의 새로운 챕터를 쓰도록 돕습니다. Creative@festbook.co.kr 로 자신만의 목소리를 보내주세요.